Библиотека

Ф. М. Достоевский

БЕЛЫЕ НОЧИ

9-е издание

Санкт-Петербург

«Златоуст»

2012

УДК 811.161.1

Достоевский, Ф.М.
  Белые ночи. — 9-е изд. — СПб. : Златоуст, 2012. — 72 с.

Dostoevsky F.M.
  The white nights. — 9th ed. — St. Petersburg : Zlatoust, 2012. —
72 р.

Подготовка текста и заданий: *к.ф.н. А.Л. Максимова*
Зав. редакцией *к.ф.н. А.В. Голубева*
Редактор *А.В. Аверина*
Оригинал-макет: *Л.О.Пащук*

В издании использованы рисунки М. Добужинского

ISBN 978-5-86547-555-2

Подготовка оригинал-макета: издательство "Златоуст".
Подписано в печать 26.03.12. Формат 60х90/16. Печ. л. 5. Печать офсетная.
Гарнитура Академия. Тираж 1000 экз. Заказ № 1127.
Код продукции: ОК 005-93-953005.

Санитарно-эпидемиологическое заключение на продукцию издательства
Государственной СЭС РФ № 78.01.07.953.П.011312.06.10 от 30.06.2010 г.

Издательство «Златоуст»: 197101, С.-Петербург, Каменноостровский пр., д. 24, кв. 24.
Тел.: (+7-812) 346-06-68, 703-11-78; факс: (+7-812) 703-11-79;
e-mail: sales@zlat.spb.ru, editor@zlat.spb.ru; http://www.zlat.spb.ru.

Отпечатано с готовых диапозитивов в типографии ООО «Береста».
196084, С.-Петербург, ул. К. Томчака, 28. Тел. (+7-812) 388-90-00.

Предлагаем Вашему вниманию книгу из серии «Библиотека Златоуста». Серия включает адаптированные тексты для 5 уровней владения русским языком: произведения классиков русской литературы, современных писателей, публицистов, журналистов, а также киносценарии. I, II и IV уровни ориентируются на лексические минимумы, разработанные для Российской государственной системы тестирования по русскому языку. Каждый выпуск снабжен вопросами, заданиями и словарем, в который вошли слова, выходящие за пределы минимума.

I   — 760 слов
II   — 1300 слов
III   — 1500 слов
IV — 2300 слов
V   — 3000 слов

1
НОЧЬ ПЕРВАЯ

Была́ чу́дная ночь, така́я ночь, кото́рая то́лько и мо́жет быть тогда́, когда́ вы мо́лоды, **любе́зный**[1] чита́тель. Не́бо бы́ло тако́е звёздное, тако́е све́тлое не́бо, что, **взгляну́в**[2] на него́, **нево́льно** ну́жно бы́ло спроси́ть себя́: неуже́ли мо́гут жить под таки́м не́бом ра́зные **серди́тые** и **капри́зные лю́ди**? Э́то то́же молодо́й вопро́с, любе́зный чита́тель, о́чень молодо́й!..Говоря́ о капри́зных и ра́зных серди́тых господа́х, я не мог не вспо́мнить и своего́ **поведе́ния** за весь э́тот день.

С са́мого утра́ меня́ ста́ла **му́чить** кака́я-то удиви́тельная **тоска́**[3]. Мне вдруг **показа́лось**, что меня́, **одино́кого**, все **броса́ют**[4] и что я оста́лся оди́н. Коне́чно, ка́ждый мо́жет спроси́ть: кто же э́ти все? потому́ что вот уже́ во́семь лет, как я живу́ в Петербу́рге, и почти́ ни одного́ **знако́мства** не уме́л **завести́**[5]. Но заче́м мне знако́мства? Мне и без того́ знако́м весь Петербу́рг; вот почему́ мне и показа́лось, что меня́ все броса́ют, когда́ весь Петербу́рг подня́лся и вдруг уе́хал на да́чу.

Мне стра́шно ста́ло остава́ться одному́, и це́лых три дня я ходи́л по го́роду в глубо́кой тоске́, не понима́я, что со мной де́лается. Пойду́ ли на Не́вский, пойду́ ли в сад, гуля́ю ли по **на́бережной**[6] — ни одного́ лица́ из тех, кого́ привы́к встреча́ть в том же ме́сте в изве́стный час весь год. Они́, коне́чно, не зна́ют меня́, но я-то их зна́ю. Я хорошо́ их зна́ю; я почти́ изучи́л их ли́ца — я рад, когда они ве́селы, мне гру́стно, когда они **печа́льные**[7]. Я почти́ **подружи́лся**[8] со мно́гими.

Мне то́же и дома́ знако́мы. Когда́ я иду́, ка́ждый дом как бу́дто забега́ет вперёд меня́ на у́лицу, **гляди́т**[9] на меня́ во все́ о́кна и чуть не говори́т: «Здра́вствуйте; как ва́ше здоро́вье? и я, сла́ва бо́гу[10], здоро́в, а мне в ма́е ме́сяце **приба́вят** эта́ж». Или: «Я чуть не сгоре́л и о́чень **испуга́лся**[11]» и т. д. Из ни́х у меня́ есть **люби́мцы**[12], есть друзья́; оди́н из них хо́чет лечи́ться э́тим ле́том у архите́ктора.

Ита́к, вы понима́ете, чита́тель, как я знако́м со все́м Петербу́ргом.

Комментарий

любезный[1] - дорогой, милый

взглянув[2] - посмотрев = когда посмотришь

тоска[3] - грусть, сущ. от прил. грустный

бросают[4] - оставляют

завести знакомство[5] - познакомиться

набережная[6] - улица на берегу реки, моря

печальный[7] - грустный

подружился[8] - стал другом

глядит[9] - смотрит

слава богу[10] - очень хорошо, что...

я испугался[11] - мне стало страшно

любимец[12] - тот, кого любят больше всех

Вопросы

1. Какой вопрос задал себе наш герой, когда посмотрел на прекрасное звездное небо?
2. Что показалось герою?
3. Как наш герой знаком со всем Петербургом?

Я уже́ сказа́л, что меня́ це́лые три дня му́чило беспоко́йство, пока́ я **догада́лся**[1] о причи́не его́. И на у́лице мне бы́ло пло́хо (того́ нет, э́того нет) — да и до́ма я был сам не свой[2]. Два ве́чера я хоте́л поня́ть: чего́ нет у меня́ в моём углу́? почему́ пло́хо бы́ло в нём остава́ться? — и с удивле́нием осма́тривал я свои́ зелёные, гря́зные сте́ны, осма́тривал ка́ждый стул, ду́мая, не ту́т ли причи́на? (потому́ что е́сли у меня́ хоть оди́н[3] стул стои́т не так, как вчера́ стоя́л, так я са́м не свой), смотре́л на окно́, и всё **напра́сно**... ниско́лько не́ было ле́гче! Я да́же позва́л Матрёну и тут же сде́лал ей замеча́ние за грязь в ко́мнате, но она́ то́лько посмотре́ла на меня́ с удивле́нием и пошла́, не отве́тив ни сло́ва, так что и сейча́с ещё в мое́й ко́мнате гря́зно.

Комментарий

догада́лся[1] - понял
сам не свой[2] - о человеке, которому плохо, неспокойно на душе
хоть один[3] - только один

Вопросы

Почему на улице и дома герою было плохо?

3

Наконе́ц я то́лько сего́дня у́тром догада́лся, в чём де́ло. Э! да ведь они́ от меня́ убега́ют на да́чу!.. потому́ что все, кого́ то́лько не́ было в Петербу́рге, и́ли перее́хали, и́ли переезжа́ли на да́чу; потому́ что у ка́ждого **прохо́жего** был тепе́рь уже́ осо́бый вид, кото́рый чуть-чуть не говори́л ка́ждому встре́чному[1]: «Мы, господа́, здесь то́лько так, мимохо́дом[2], а вот че́рез два часа́ мы уе́дем на да́чу». Ма́ло того́, я уже́ сде́лал таки́е успе́хи в своём но́вом откры́тии, что уже́ мог безоши́бочно, по одному́ ви́ду, сказа́ть, на како́й кто да́че живёт.

Жи́тели Ка́менного и Апте́карского острово́в и́ли Петерго́фской доро́ги **отлича́лись** мо́дными ле́тними костю́мами и прекра́сными **экипа́жами**, в кото́рых они́ прие́хали в го́род. Жи́тели Па́рголова и там, где пода́льше, отлича́лись свое́й **соли́дностью**; жи́тель Кресто́вского о́строва отлича́лся весёлым ви́дом. Все уезжа́ли. Каза́лось, весь Петербу́рг **преврати́лся в пусты́ню**, так что наконе́ц мне ста́ло гру́стно, мне не́куда бы́ло е́хать. Я гото́в был уйти́ с ка́ждым господи́ном, но ни оди́н не пригласи́л меня́; как бу́дто забы́ли меня́, как бу́дто я для них был и в са́мом де́ле чужо́й!

Я ходи́л мно́го и до́лго, как вдруг оказа́лся за́ городом. Сра́зу мне ста́ло ве́село, и я пошёл ме́жду поле́й, не слы́шал уста́лости, но чу́вствовал то́лько, что како́й-то груз спада́ет с души́[3] мое́й. И я был рад, как ещё никогда́ со мной не случа́лось. То́чно я вдруг оказа́лся в Ита́лии — так си́льно **удиви́ла** приро́да меня́, полубольно́го горожа́нина[4].

Комментарий

встречный[1] - человек, который идет по улице навстречу

мимоходом[2] - по пути, когда идешь мимо

груз спадает с души[3] - становится легче на душе

горожанин[4] - человек, который живет в городе

Вопросы

1. Что было причиной беспокойств нашего героя?
2. Какое открытие для себя сделал герой?

4

Есть что-то необъясни́мо-волни́тельное[1] в на́шей петербу́ргской приро́де, когда́ она́, с наступле́нием весны́, вдруг пока́жет всю си́лу свою́, пода́ренную ей не́бом. Как-то нево́льно напомина́ет она́ мне ту больну́ю де́вушку, на кото́рую вы смо́трите иногда́ с сожалением, иногда́ же про́сто не замеча́ете её, но кото́рая вдруг, на оди́н **миг** сде́лается необъясни́мо-прекра́сною, а вы, удивлённый, нево́льно спра́шиваете себя́: кака́я си́ла заста́вила **блиста́ть** таки́м огнём э́ти гру́стные, заду́мчивые глаза́? Вы смо́трите круго́м, вы кого́-то и́щете, вы дога́дываетесь... Но миг прохо́дит, и, мо́жет быть, за́втра вы встре́тите опя́ть тот же заду́мчивый взгляд, как и пре́жде, то же бле́дное лицо́... И жаль вам, что так ско́ро прошла́ мгнове́нная[2] красота́, жаль потому́, что полюби́ть её вам не́ было вре́мени.

Комментарий

необъясни́мо-волни́тельное[1] - тако́е, что нельзя объясни́ть, почему оно волну́ет

мгнове́нный[2] - о́чень коро́ткий (о времени)

Вопро́сы

1. Почему Достоевский сравнивает петербургскую природу с больно́й девушкой?
2. О чем жалеет Достоевский?

5

Я пришёл наза́д в го́род о́чень по́здно. Уже́ бы́ло де́сять часо́в, когда́ я стал подходи́ть к кварти́ре. Доро́га моя́ шла по **на́бережной кана́ла**, на кото́рой в э́тот час не встре́тишь живо́й души́[1]. Пра́вда, я живу́ не в це́нтре го́рода. Я шёл и пел, потому́ что, когда́ я сча́стлив, я обяза́тельно пою́ что-нибудь про себя́[2], как и ка́ждый счастли́вый челове́к, у кото́рого нет ни друзе́й, ни до́брых знако́мых и кото́рому в ра́достную мину́ту не́ с кем поговори́ть. Вдруг со мно́й случи́лось са́мое неожи́данное **приключе́ние**.

В стороне́ стоя́ла же́нщина и, по-ви́димому, о́чень внима́тельно смотре́ла на гря́зную во́ду кана́ла. Она́ была́ хорошо́ оде́та. «Стра́нно! — поду́мал я, — наве́рное, она́ о чём-нибудь ду́мает», и вдруг я останови́лся: де́вушка пла́кала.

Я **огляну́лся**, подошёл к ней, но не зна́л, что сказа́ть. Пока́ я иска́л слова́, де́вушка огляну́лась и пробежа́ла ми́мо меня́ по на́бережной. Я то́тчас же пошёл за ней, но она́ догада́лась, перешла́ че́рез у́лицу и пошла́ по **тротуа́ру**. Я побоя́лся перейти́ че́рез у́лицу.

Комментарий

не встретишь живой души[1] - никого не встретишь
про себя[2] - без голоса, мысленно

Вопросы

Почему наш герой пел, когда возвращался домой?

6

Вдруг оди́н слу́чай пришёл ко мне́ на по́мощь. По то́й стороне́ тротуа́ра, недалеко́ от мое́й незнако́мки, вдруг появи́лся господи́н, сре́дних лет. Он шёл, **поша́тываясь**. Де́вушка же шла бы́стро, как хо́дят все де́вушки, кото́рые не хотя́т, чтоб кто-нибу́дь провожа́л их но́чью домо́й.

Вдруг, не сказа́в никому́ ни сло́ва, мой господи́н побежа́л со всех ног[1] за мое́й незнако́мкой. Она́ шла как ве́тер, но господи́н **догна́л** де́вушку, она́ вскри́кнула — и... я благодарю́ судьбу́, что у меня́ в пра́вой руке́ была́ **па́лка**.

Я бы́стро перешёл на ту сто́рону тротуа́ра, этот господи́н тут же по́нял, в чём де́ло, замолча́л, останови́лся и то́лько, когда́ уже́ мы бы́ли о́чень далеко́, стал говори́ть что-то мне. Но до нас почти́ не долета́ли слова́ его́.

— Да́йте мне ру́ку, — сказа́л я мое́й незнако́мке, — и его́ не бу́дет бо́льше ря́дом.

Она́ мо́лча подала́ мне свою́ ру́ку, кото́рая **дрожа́ла** от волне́ния и испу́га. О неизве́стный господи́н! как я благодари́л тебя́ в э́ту мину́ту!

10

Я посмотрел на неё: на **губа́х** уже́ была́ улы́бка. Она́ то́же посмотре́ла на меня́ незаме́тно[3], слегка́[4] покрасне́ла.

— Вот ви́дите, заче́м же вы тогда́ убежа́ли от меня́? е́сли б я был ту́т, ничего́ бы не случи́лось...

— Но я вас не зна́ла: я ду́мала, что вы то́же...

— А ра́зве вы тепе́рь меня́ зна́ете?

— Немно́жко. Вот, наприме́р, почему́ вы дрожи́те?

— О, вы **угада́ли** с пе́рвого ра́за! — отвеча́л я. — Да, вы с пе́рвого взгля́да угада́ли, с кем име́ете де́ло. То́чно, я **ро́бок** с же́нщинами, я в **волне́нье**, не спо́рю, не ме́ньше, как бы́ли вы мину́ту наза́д, когда́ э́тот господи́н испуга́л вас... Я в како́м-то испу́ге тепе́рь. То́чно сон, а я да́же и во сне́ не ду́мал, что когда́-нибу́дь бу́ду говори́ть с како́й-нибу́дь же́нщиной.

— Как? неуже́ли?

— Да, е́сли рука́ моя́ дрожи́т, то э́то потому́, что никогда́ ещё её не держа́ла така́я хоро́шенькая ма́ленькая ру́чка, как ва́ша. Я совсе́м **отвы́к** от же́нщин; то́ есть я к ним и не привыка́л никогда́; я ведь оди́н... Я да́же не зна́ю, как говори́ть с ни́ми. Вот и тепе́рь не зна́ю — не сказа́л ли вам како́й-нибу́дь глу́пости? Скажи́те мне пря́мо: **предупрежда́ю** вас, я не оби́жусь...

— Нет, ничего́, ничего́; наоборо́т. И е́сли уже́ вы тре́буете, чтоб я была́ **открове́нна**, так я вам скажу́, что же́нщинам нра́вится така́я ро́бость; а е́сли хоти́те знать бо́льше, то и мне́ она́ то́же нра́вится, и я не **прогоню́** вас от себя́ до са́мого до́ма.

— Вы сде́лаете со мной, — на́чал я, задыха́ясь[5] от сча́стья, — что я то́тчас же переста́ну робе́ть и тогда́ — **проща́й** все мои **сре́дства!**..

— Сре́дства? каки́е сре́дства, к чему́? вот э́то уже́ пло́хо.

— **Винова́т**, не бу́ду, но как же вы хоти́те, чтоб в таку́ю мину́ту не́ было жела́ния[6]...

— Понра́виться, что́ ли?

Коммента́рий

бежать со всех ног[1] - бежать очень быстро

едва[2] - чуть

11

незаметно[3] - так, чтобы другие не заметили, не видели

слегка[4] - немного, чуть-чуть

задыхаться[5] - дышать с трудом

не было желания[6] - не хотелось

Вопросы

1. Что случилось на улице?
2. Как наш герой помог девушке?

7

— Ну да; да будьте, ради бога[1], будьте добры. Подумайте, кто я! Ведь вот уж мне двадцать шесть лет, а я никого никогда не видел. Ну, как же я могу хорошо говорить? Вам же будет лучше, когда всё будет открыто... Я не умею молчать, когда сердце во мне говорит. Поверите ли, ни одной женщины, никогда, никогда! Никакого знакомства! и только мечтаю каждый день, что наконец-то когда-нибудь я встречу кого-нибудь. Ах, если б вы знали, сколько раз я был влюблён так!..

— Но как же, в кого же?..

— Да ни в кого, в идеал, и ту, которую увижу во сне. Я создаю в мечтах целые романы. О, вы меня не знаете! Правда, я встречал двух-трёх женщин, но какие они женщины? это всё такие хозяйки, что... Но я вас насмешу[2], я расскажу вам, что несколько раз думал заговорить, так, запросто, с какой-нибудь аристократкой на улице, разумеется[3], когда она одна, заговорить, конечно, робко, **уважительно, страстно,** сказать, что погибаю один, чтоб она не прогоняла меня, что нет средства узнать хоть какую-нибудь женщину. Что, наконец, и всё, чего я требую, состоит в том только, чтоб сказать мне какие-нибудь два слова братские, а не прогнать меня с первого **шага,** поверить мне на слово, выслушать, что я буду говорить, посмеяться надо мной, сказать мне два слова, только два слова, потом пусть мы с ней никогда́ не встре́тимся!.. Но вы смеётесь... Пра́вда, я для того́ и говорю́...

— Не серди́тесь, я смею́сь тому́, что вы са́ми себе́ враг, и е́сли б вы попро́бовали, то вам бы удало́сь... Ни одна́ до́брая же́нщина, е́сли то́лько она́ не глупа́, и́ли осо́бенно не серди́та на что-нибу́дь в э́ту мину́ту, сказа́ла бы вам э́ти два сло́ва, кото́рые вы так ро́бко про́сите... Но, что я! коне́чно, приняла́ бы вас за **сумасше́дшего**. Я ведь **суди́ла** по себе́. Сама́-то я мно́го зна́ю, как лю́ди на све́те живу́т!

— О, благодарю́ вас, — закрича́л я, — вы не зна́ете, что вы для меня́ тепе́рь сде́лали!

Комментарий

ра́ди бога[1] - пожалуйста
насмешить[2] - сказать или сделать смешное
разумеется[3] - конечно

Вопросы

1. Сколько лет нашему герою?
2. О чем мечтал герой?
3. Почему герой стал благодарить девушку?

8

— Хорошо́, хорошо́! Но скажи́те мне, почему́ вы узна́ли, что я така́я же́нщина, с кото́рой... ну, кото́рую вы счита́ли **досто́йной**... внима́ния и дру́жбы... одни́м сло́вом, не хозя́йка, как вы называ́ете. Почему́ вы подошли́ ко мне?

— Почему́? почему́? Но вы бы́ли одна́, тот господи́н был сли́шком сме́л, тепе́рь ночь: согласи́тесь са́ми, что я до́лжен был...

— Нет, нет, ещё ра́ньше, там, на той стороне́. Ведь вы хоте́ли подойти́ ко мне?

— Там, на той стороне? Но я не знаю, как отвечать: я боюсь... Знаете ли, я сегодня был счастлив; я шёл, пел; я был за городом; со мной ещё никогда не бывало таких счастливых минут. Вы... мне, может быть, показалось... Ну, простите меня, если я напомню: мне показалось, что вы плакали, и я... я не мог слышать это... у меня заболело сердце... О, боже мой![1] Неужели же был **грех** почувствовать к вам братское **сочувствие**?.. Извините, я сказал сочувствие... Ну, да, одним словом, неужели я мог вас **обидеть** тем, что захотел к вам подойти?..

— Не надо, не говорите... — сказала девушка. — Я сама виновата, что заговорила об этом; но я рада, что не ошиблась в вас... но вот уже я дома; мне нужно сюда, в **переулок** два шага... Прощайте, благодарю вас...

— Так неужели же, неужели мы больше никогда не увидимся?.. Неужели это так и останется?

— Видите ли, — сказала, смеясь, девушка, — вы хотели сначала только два слова, а теперь... Но... я вам ничего не скажу... Может быть, встретимся...

— Я приду сюда завтра, — сказал я. — О, простите меня, я уже требую...

— Да, вы почти требуете.

Комментарий

боже мой[1] - выражение радости, удивления

Вопросы

1. Как объяснил наш герой девушке, почему он подошел к ней?
2. Согласилась ли девушка встретиться с нашим героем?

9

— Послушайте, послушайте! — сказал я. — Простите, если я вам скажу опять что-нибудь такое... Но вот что: я не могу не прийти́ сюда́ за́втра. Я мечта́тель; у меня́ так ма́ло действи́тельной жи́зни, что я таки́е мину́ты, как э́ту, как тепе́рь, счита́ю так ре́дко, что не могу́ не повторя́ть э́тих мину́т в мечта́ньях. Я промечта́ю о вас це́лую ночь, це́лую неде́лю, весь год. Я обяза́тельно приду́ сюда́ за́втра, на э́то же ме́сто, в э́тот час, и бу́ду сча́стлив, вспомина́я вчера́шнее. Уж э́то ме́сто мне ми́ло. У меня́ уже́ есть таки́е два-три ме́ста в Петербу́рге. Я да́же оди́н раз запла́кал от воспомина́нья, как вы... Я не зна́ю, мо́жет быть, и вы, де́сять мину́т тому́ наза́д , пла́кали от воспомина́нья... Но прости́те меня́, я опя́ть забы́л; вы, мо́жет быть, когда́-нибу́дь бы́ли здесь осо́бенно сча́стливы.

— Хорошо́, — сказа́ла де́вушка, — я, коне́чно, приду́ сюда́ за́втра, то́же в де́сять часо́в. Ви́жу, что я уже́ не могу́ вам запрети́ть... Вот в чём де́ло, мне ну́жно быть здесь; не поду́майте, чтоб я вам **назна́чила** свида́ние, я **предупрежда́ю** вас, мне ну́жно быть здесь для себя́. Но вот... ну, э́то бу́дет ничего́, е́сли и вы придёте; во-пе́рвых, мо́гут быть опя́ть неприя́тности, как сего́дня, но э́то в сто́рону... одни́м сло́вом, мне про́сто хоте́лось бы вас ви́деть... чтоб сказа́ть вам два сло́ва. То́лько, ви́дите ли, вы не осу́дите меня́ тепе́рь? не поду́майте, что я так легко́ назнача́ю свида́ния... Я бы не назна́чила, е́сли б... Но пусть э́то бу́дет моя́ та́йна! То́лько вперёд **угово́р**.

— Угово́р! говори́те, скажи́те, скажи́те всё зара́нее; я на всё согла́сен, на всё гото́в, — закрича́л я ра́достно, — я отвеча́ю за себя́ — бу́ду **послу́шен**, уважи́телен... вы меня́ зна́ете...

— И́менно потому́, что зна́ю вас, и приглаша́ю вас за́втра, — сказа́ла, смея́сь, де́вушка. — Я вас хорошо́ зна́ю. Но, смотри́те, приходи́те с усло́вием: во-пе́рвых (то́лько бу́дьте добры́, сде́лайте, что я попрошу́, — ви́дите ли, я говорю́ открове́нно), не **влюбля́йтесь** в меня́... Э́то нельзя́. На дру́жбу я гото́ва, вот вам рука́ моя́... А влюбля́ться нельзя́, прошу́ вас!

— **Кляну́сь** вам, — закрича́л я и взял её ру́чку...

— Не на́до, не кляни́тесь. Е́сли б вы зна́ли... У меня́ то́же никого́ нет, с кем бы мне мо́жно бы́ло сло́во сказа́ть, у кого́ бы сове́та спроси́ть. Коне́чно, не на у́лице же иска́ть сове́тников[1], да вы **исключе́ние**. Я вас так зна́ю, как бу́дто уже́ мы два́дцать лет бы́ли друзья́ми... Не пра́вда ли?

— Уви́дите... то́лько я не зна́ю, как уж я доживу́ до за́втра.

— Спи́те покре́пче; до́брой но́чи — и по́мните, что я вам уже́ **дове́рилась**. Но вы так хорошо́ сказа́ли ра́ньше: неуже́ли на́до объясня́ть ка́ждое чу́вство, да́же бра́тское сочу́вствие! Зна́ете ли, э́то бы́ло так хорошо́ ска́зано, что у меня́ то́тчас же появи́лась мысль дове́риться вам...

— Ра́ди бо́га, но в чём? что?

— До за́втра. Пусть э́то бу́дет пока́ та́йной. Тем лу́чше для вас; хоть и́здали бу́дет на рома́н похо́же. Мо́жет быть, я вам за́втра всё скажу́, а мо́жет быть, нет... Я ещё с ва́ми поговорю́, мы познако́мимся лу́чше...

— О, да я вам за́втра всё расскажу́ про себя́! Но что э́то? то́чно чу́до со мной происхо́дит... Две мину́ты, и вы сде́лали меня́ навсегда́ счастли́вым. Да! счастли́вым; как знать, мо́жет быть... Мо́жет быть, на меня́ нахо́дят таки́е мину́ты... Ну, да я вам за́втра всё расскажу́, вы всё узна́ете, всё...

— Хорошо́, вы и начнёте...

— Согла́сен.

— До свида́нья!

— До свида́нья!

И мы расста́лись. Я ходи́л всю ночь; я не мог верну́ться домо́й. Я был так сча́стлив... До за́втра!

Коммента́рий

сове́тник[1] - челове́к, кото́рый дает
совет

Вопро́сы

Почему́ де́вушка назна́чила свида́ние на́шему геро́ю?

10
НОЧЬ ВТОРАЯ

— Ну, вот и до́жили! — сказа́ла она́ мне, смея́сь и **пожима́я** мне о́бе руки́.

— Я здесь уже́ два часа́; вы не зна́ете, что бы́ло со мной це́лый день!

— Зна́ю, зна́ю... но к де́лу. Зна́ете, заче́м я пришла́? Ведь не смея́ться, как вчера́. Во́т что: нам ну́жно вперёд умне́й быть. Я обо всём э́том вчера́ до́лго ду́мала.

— В чём же, в чём быть умне́е? С мое́й стороны́, я гото́в; но, одна́ко, в жи́зни не случа́лось со мно́ю ничего́ умне́е, как тепе́рь.

— В са́мом де́ле[1]? Во-пе́рвых, прошу́ вас, не жми́те так мои́х рук; во-вторы́х, сообща́ю вам, что я о вас сего́дня до́лго ду́мала.

— Ну, и чем же ко́нчилось?

— Чем ко́нчилось? Ко́нчилось те́м, что ну́жно всё сно́ва нача́ть, потому́ что я реши́ла сего́дня, что вы ещё мне совсе́м неизве́стны, что я вчера́ была́, как ребёнок, как де́вочка, и, разуме́ется, вы́шло так, что всему́ винова́то моё до́брое се́рдце. И потому́, чтоб **испра́вить** оши́бку, я реши́ла узна́ть о вас побо́льше. Но так как узнава́ть о вас не́ у кого, то вы и должны́ мне са́ми рассказа́ть всё о себе́. Ну, что вы за челове́к? Поскоре́е — начина́йте же, расска́зывайте свою́ исто́рию.

— Исто́рию! — закрича́л я, испуга́вшись, — исто́рию! Но кто вам сказа́л, что у меня́ есть моя́ исто́рия? У меня́ нет исто́рии...

— Так как же вы жи́ли, е́сли нет исто́рии? — сказа́ла она́, смея́сь.

— Без вся́ких исто́рий! так жил, как у нас говори́тся, сам по себе́[2], то е́сть оди́н совсе́м, — оди́н, оди́н, понима́ете, что тако́е оди́н?

— Да как оди́н? То е́сть вы никого́ никогда́ не ви́дели?

— О нет, ви́деть-то ви́жу, — а всё-таки я оди́н.

— Что же, вы ра́зве не говори́те ни с ке́м?

— Да, ни с ке́м.

— Да кто же вы такой, объяснитесь! Постойте, я догадываюсь: у вас, верно, есть бабушка, как и у меня. Она **слепая** и вот уже целую жизнь меня никуда не **пускает**, так что я почти разучилась совсем говорить.

— Ах, боже мой, какое несчастье! Да нет же, у меня нет такой бабушки.

— А если нет, так как это вы можете дома сидеть?..

— Послушайте, вы хотите знать, кто я такой?

— Ну, да, да!

Комментарий

в самом деле[1] - правда

сам по себе[2] - один, самостоятельно, без помощи

Вопросы

Что сказала девушка нашему герою на следующий день?

11

— Я — тип.

— Тип, тип! какой тип? — закричала девушка и засмеялась так, как будто она целый год не смеялась. — Да с вами превесело. Смотрите: вот здесь есть **скамейка**; сядем! Здесь никто не ходит, никто не услышит, и — начинайте же вашу историю! У вас есть история, а вы только не говорите. Во-первых, что это такое тип?

— Тип? тип — это оригинал, это такой смешной человек! — отвечал я, сам засмеявшись вместе с ней. — Это такой характер. Слушайте: знаете вы, что такое мечтатель?

— Мечтатель! да как не знать? я сама мечтатель! Иногда сидишь около бабушки, и чего-чего в голову не придёт. Ну, вот и начнёшь мечтать, да так размечтаешься — ну, просто за **китайского принца** замуж выхожу... А ведь это в другой раз и хоро-

шó — мечта́ть! Осо́бенно éсли есть и без э́того о чём ду́мать, — сказа́ла де́вушка на э́тот раз о́чень серьёзно.

— Прекра́сно! Уж éсли раз вы выходи́ли за при́нца кита́йского, так поймёте меня́. Ну, слу́шайте... Но я ещё не зна́ю, как вас зову́т?

— Наконе́ц-то! вот ра́но вспо́мнили!

— Ах, бо́же мой! да мне и на ум не пришло́, мне бы́ло и так хорошо́...

— Меня́ зову́т — На́стенька.

— На́стенька! и то́лько?

— То́лько! да неуже́ли вам ма́ло?

— Ма́ло ли? Мно́го, мно́го, о́чень мно́го. На́стенька, до́брая вы де́вушка, éсли с пе́рвого ра́зу вы для меня́ ста́ли На́стенькой!

— То-то же! ну!

— Ну вот, На́стенька, слу́шайте-ка, кака́я тут выхо́дит смешна́я исто́рия.

Вопросы

Почему Настенька сказала, что она тоже мечтатель?

12

Я сел о́коло неё, при́нял серьёзный вид и на́чал как по-пи́саному:

— Есть, На́стенька, éсли вы того́ не зна́ете, есть в Петербу́рге о́чень стра́нные уголки́. В э́ти места́ как бу́дто не **загля́дывает** то же со́лнце, кото́рое све́тит для всех петербу́ргских люде́й, а загля́дывает како́е-то друго́е, и све́тит на всё други́м, осо́бенным све́том. В э́тих угла́х, ми́лая На́стенька, происхо́дит как бу́дто совсе́м друга́я жизнь, не похо́жая на ту, кото́рая о́коло нас **кипи́т**.

— Фу! го́споди бо́же мой! како́е нача́ло! Что же э́то я тако́е слы́шу?

— Услышите вы, Настенька (мне кажется, я никогда не устану называть вас Настенькой), услышите вы, что в этих углах проживают странные люди — мечтатели. Мечтатель — это не человек, а, знаете, какое-то существо среднего рода[1]. Живёт он большею частью где-нибудь в углу, подальше от дневного света. Как вы думаете, почему он так любит свои четыре стены, **выкрашенные** обязательно зелёною краскою? Зачем этот смешной господин, когда его приходит навестить кто-нибудь из его редких знакомых, этот смешной человек встречает гостя так робко, так меняется в лице, как будто он только что сделал в своих четырёх стенах **преступление**, как будто он делал **фальшивые** деньги. Почему, скажите мне, Настенька, гость вдруг надевает **шляпу** и быстро уходит. Почему гость смеётся, выйдя за дверь, тут же даёт самому себе слово никогда не приходить к нему, хотя он, может быть, и неплохой человек.

Комментарий

существо среднего рода[1] - ни мужчина, ни женщина

Вопросы

О каких странных уголках Петербурга рассказал наш герой?

13

— Послушайте, — сказала Настенька, которая всё время слушала меня с удивлением, открыв глаза и ротик, — послушайте: я совсем не знаю, почему всё это произошло и почему это вы предлагаете такие смешные вопросы; но что я знаю точно, так то, что все эти приключения случились обязательно с вами, от слова до слова.

— Коне́чно, — отвеча́л я.

— Ну, е́сли так, так продолжа́йте, — отве́тила Нэ́стенька, — потому́ что мне о́чень хо́чется знать, чем э́то ко́нчится.

— Вы хоти́те знать, На́стенька, что тако́е де́лал в своём углу́ наш геро́й, и́ли, лу́чше сказа́ть, я, потому́ что геро́й всего́ де́ла — я.

— Ну да, да! — отвеча́ла На́стенька, — в э́том и де́ло. Послу́шайте: вы прекра́сно расска́зываете, но нельзя́ ли расска́зывать как-нибу́дь не так прекра́сно? А то вы говори́те, то́чно кни́гу чита́ете.

— На́стенька! — отвеча́л я ва́жным и стро́гим го́лосом, — ми́лая На́стенька, я зна́ю, что я расска́зываю прекра́сно, но — винова́т, по-друго́му я расска́зывать не уме́ю. Я уже́ давно́ кого́-то иска́л, а э́то знак, что я иска́л то́лько вас и что нам бы́ло **су́ждено́** тепе́рь уви́деться, — тепе́рь я до́лжен говори́ть и говори́ть. Ита́к, прошу́ не **перебива́ть** меня́, На́стенька, а слу́шать споко́йно, и́ли — я замолчу́.

— Ни-ни-ни! ника́к! говори́те! Тепе́рь я не скажу́ ни сло́ва.

Вопросы

1. Почему к нашему герою не ходят гости?
2. Почему наш герой рассказывает, как будто книгу читает?

14

— Продолжа́ю: есть, друг мой На́стенька, в моём дне оди́н час, кото́рый я о́чень люблю́. Э́то тот са́мый час, когда́ конча́ются почти́ все дела́ и все спеша́т по дома́м пообе́дать, лечь отдохну́ть и тут же, в доро́ге, приду́мывают и други́е весёлые те́мы на ве́чер, ночь и все свобо́дное вре́мя. В э́тот час и наш геро́й, — мо́жно мне, На́стенька, расска́зывать в тре́тьем лице́, потому́ что в пе́рвом лице́ всё э́то ужа́сно сты́дно расска́зывать, — ита́к, в э́тот час и наш геро́й, кото́рый то́же был не без де́ла, идёт за други́ми. Но стра́нное чу́вство удово́льствия игра́ет на его́ бле́дном несве́жем лице́. Он дово́лен, потому́ что зако́нчил до за́втра неприя́тные для него дела́, и рад, как шко́льник, кото́рый по́сле заня́тий возвраща́ется к люби́мым и́грам. Посмотри́те на него́ со стороны́, На́стенька: вы то́тчас уви́дите, что ра́достное чу́вство уже́ игра́ет на его́ лице́. Вот он о чём-то заду́мался... Вы ду́маете — об обе́де? о сего́дняшнем ве́чере? Нет, На́стенька, что ему́ тепе́рь до всего́ э́того! Он тепе́рь уже́ бога́т свое́й осо́бенной жи́знью; он вдруг стал бога́тым. Вот почему́ он чуть не закрича́л и с испу́гом посмотре́л круго́м, когда́ одна́ стару́шка[1] останови́ла его́ и ста́ла расспра́шивать его́ о доро́ге, кото́рую она́ потеря́ла. Заду́мавшись, идёт он да́льше, и не замеча́ет, что не оди́н прохо́жий улыбну́лся, на него́ гля́дя. Он уже́ вошёл к себе́ в ко́мнату, уже́ сел за обе́д, уже́ давно́ пообе́дал и **пришёл в себя** то́лько тогда́, когда́ заду́мчивая и всегда́ гру́стная Матрёна уже́ всё убрала́ со стола́, пришёл в себя́ с удивле́нием вспо́мнил, что он уже́ совсе́м пообе́дал и не заме́тил, как э́то сде́лалось. В ко́мнате потемне́ло; на душе́ его́ пу́сто и гру́стно. В ма́ленькой ко́мнате — тишина́. О, что ему́ в на́шей действи́тельной жи́зни! Вы спро́сите, мо́жет быть, о чём он мечта́ет? К чему́ э́то спра́шивать! да о́бо всём... Почему́ же це́лые бессо́нные но́чи прохо́дят, как оди́н миг, ве́село и сча́стливо. Наш мечта́тель, изму́ченный, броса́ется на крова́ть и засыпа́ет. То́лько взгляни́те на него́! Ве́рите ли вы, ми́лая На́стенька, что действи́тельно он никогда́ не знал той, кото́рую он так люби́л в свои́х мечта́ниях? Неуже́ли он то́лько и ви́дел её во сне́ и то́лько лишь **сни́лась** ему́ э́та страсть?

Комментарий

стару́шка[1] - ста́рая же́нщина

Вопросы

1. Как наш герой ведет себя дома?
2. Почему у нашего героя ночи проходят быстро и счастливо?

15

Я ожидал, что Настенька, которая слушала меня, открыв свои умные глаза, засмеётся своим детским, весёлым смехом, и уже жалел, что напрасно рассказал то, что уже давно наболело в моём сердце, о чём я мог говорить как по-писаному, не ожидал, что меня поймут; но, к удивлению моему, она промолчала, потом слегка пожала мне руку и с каким-то робким **участием** спросила:

— Неужели и в самом деле вы так прожили всю свою жизнь?

— Всю жизнь, Настенька, — отвечал я, — всю жизнь, и, кажется, так и окончу!

— Нет, этого нельзя, — сказала она беспокойно, — этого не будет; так и я проживу всю жизнь около бабушки. Послушайте, знаете ли, что нехорошо так жить?

— Знаю, Настенька, знаю! — закричал я, не удерживая более своего чувства. — И теперь знаю больше, чем когда-нибудь, что я напрасно потерял все свои лучшие годы! Теперь это я знаю. Сам бог послал мне вас. Теперь, когда я сижу около вас и говорю с вами, мне уж и страшно подумать о будущем — опять одиночество, опять эта тихая, ненужная жизнь; и о чём мечтать будет мне, когда я уже в жизни около вас был так счастлив! О, я благодарю вас, милая девушка, за то, что уже я могу сказать, что я жил хоть два вечера в моей жизни!

— Ох, нет, нет! — закричала Настенька, и слёзы заблестели на глазах её, — нет, так не будет больше; мы так не **расстанемся**! Что такое два вечера!

— Ох, Настенька, Настенька! Знаете ли, что уже я теперь не буду о себе думать так плохо, как думал иногда? Знаете ли, что уже я, может быть, не буду больше тосковать о том, что сделал преступление и грех в моей жизни, потому что такая жизнь есть преступление и грех? И не думайте, чтоб я вам преувеличивал что-нибудь, ради бога, не думайте этого, Настенька, потому что на меня иногда находят минуты такой тоски, такой тоски... Потому что мне уже начинает казаться в эти минуты, что я никогда не способен начать жить настоящею жизнию, потому что после моих фантастических ночей на меня уже находят минуты понимания жизни, которые ужасны! Между тем слышишь, как живут люди, что их жизнь не разлетится, как сон, что их жизнь вечно молодая, и ни один час её не похож на другой. А между тем чего-то другого просит и хочет душа!

Знаете ли, Настенька, до чего я дошёл? знаете ли, что я уже **отметил** год с того дня, что было раньше так мило, чего, в жизни никогда не бывало.

Знаете ли, что я люблю теперь вспомнить и посетить в известное время те места, где был счастлив когда-то по-своему.

Вспоминается, например, что вот здесь ровно год тому назад, ровно в это же время, в этот же час, по этому же тротуару ходил так же одиноко, как и теперь! И вспоминаешь, что и тогда мечты были грустны, и хоть и раньше было не лучше, но чувствуешь, что как будто и легче и спокойнее было жить, что не было этой чёрной мысли, которая теперь появилась во мне. И спрашиваешь себя: где же мечты твои? и говоришь: как быстро летят годы! И опять спрашиваешь себя: что же ты сделал со своими годами? куда ты дел своё лучшее время? Ты жил или нет? Смотри, говоришь себе, смотри, как на свете становится холодно. Ещё пройдут годы, и за ними придёт одиночество, придёт старость, а за ними тоска и грусть. Поблекнеет твой фантастический мир, мечты твои и **осыплются**, как жёлтые листья с деревьев... О Настенька! ведь грустно будет оставаться одному, одному совсем, и даже не иметь чего пожалеть — ничего, ровно ничего... потому что всё, что потерял-то, всё это, всё было ничто, глупый, круглый ноль, было одно лишь мечтанье!

Комментарий

годовщина[1] - год после какого-нибудь события

Вопросы

1. Что любит теперь вспоминать наш герой?
2. О чем спрашивал себя герой?

16

— Ну, не надо бо́льше! — проговори́ла На́стенька.— Тепе́рь ко́нчено! Тепе́рь мы бу́дем вдвоём; тепе́рь, что ни случи́тся со мно́й, уж мы никогда́ не расста́немся. Послу́шайте. Я проста́я де́вушка, я ма́ло учи́лась, но я вас понима́ю, потому́ что всё, что вы пересказа́ли тепе́рь, я уж сама́ прожила́. Коне́чно, я бы так не рассказа́ла хорошо́, как вы рассказа́ли, я не учи́лась, — ро́бко приба́вила она́, потому́ что всё ещё чу́вствовала како́е-то уваже́ние к моему́ высо́кому **сти́лю**, — но я о́чень ра́да, что вы откры́лись мне. Тепе́рь я вас зна́ю, совсе́м, всего́ зна́ю. И зна́ете что? я вам хочу́ рассказа́ть и свою́ исто́рию, всю целико́м, а вы мне по́сле дади́те сове́т. Вы о́чень у́мный челове́к; обеща́ете ли вы, что вы дади́те мне э́тот сове́т?

— Ах, На́стенька, — отвеча́л я, — я хоть и никогда́ не́ был сове́тником, и тем бо́лее у́мным сове́тником, но тепе́рь ви́жу, что е́сли мы всегда́ бу́дем так жить, то э́то бу́дет о́чень умно́, и ка́ждый друг дру́гу даст о́чень мно́го у́мных сове́тов! Ну, хоро́шенькая моя́ На́стенька, како́й же вам сове́т? Говори́те мне пря́мо; я тепе́рь так ве́сел, сча́стлив, смел и умён, что за сло́вом не поле́зу в карма́н[1].

— Нет, нет! — переби́ла На́стенька, засмея́вшись, — мне ну́жен не оди́н у́мный сове́т, мне ну́жен сове́т серде́чный, бра́тский, так, как бы вы уже́ всю жизнь свою́ люби́ли меня́!

— Идёт[2], На́стенька, идёт! — закрича́л я, — и е́сли б я уже́ два́дцать лет вас люби́л, то не люби́л бы сильне́е тепе́решнего!

— Ру́ку ва́шу! — сказа́ла На́стенька.

— Вот она́! — отвеча́л я, подава́я ей ру́ку.

— Ита́к, начнёмте мою́ исто́рию!

Комментарий

за сло́вом не поле́зу в карма́н[1] - сра́зу нахожу́ ну́жное сло́во в разгово́ре, спо́ре

идёт[2] - хорошо́, договори́лись, согла́сен

Какой ответ нужен был Настеньке от нашего героя?

17
История Настеньки

— Половину истории вы уже знаете, то есть вы знаете, что у меня есть старая бабушка...

— Если другая половина так же недолга, как и эта... — перебил было я и засмеялся.

— Молчите и слушайте. Но договоримся: не перебивать меня, а не то я **собьюсь**. Ну, слушайте же спокойно. У меня есть старая бабушка. Я к ней **попала** ещё очень маленькой девочкой, потому что у меня умерли и мать и отец. Надо думать, что бабушка была раньше богаче, потому что и теперь вспоминает о лучших днях. Она же научила по-французски и потом взяла мне учителя. Когда мне было пятнадцать лет (а теперь мне семнадцать), учиться мы кончили. Вот в это время я и **нашалила**; уж что я сделала — я вам не скажу, но шалость была небольшая. Только бабушка подозвала меня к себе в одно утро и сказала, что так как она слепа, то за мной смотреть не может, взяла **булавку** и **пристегнула** моё платье к своему, да тут и сказала, что так мы будем всю жизнь сидеть, если, разумеется, я не сделаюсь лучше. Одним словом, в первое время отойти никак нельзя было: и работай, и читай, и учись — всё около бабушки. Я попробовала **схитрить** один раз и попросила сесть на моё место Фёклу. Фёкла — наша работница, она плохо слышит. Фёкла села вместо меня; бабушка в это время **заснула** в кресле, а я пошла недалеко к подруге. Ну, плохо и кончилось. Бабушка без меня **проснулась** и о чём-то спросила, думая, что я всё ещё сижу спокойно на месте. Фёкла-то видит, что бабушка спрашивает, а сама не слышит про что; думала, думала, что ей делать, **отстегнула** булавку, да и убежала...

Тут Настенька остановилась и начала хохотать. Я засмеялся вместе с нею. Она тотчас же перестала.

— Послушайте, вы не смейтесь над бабушкой. Это я смеюсь, потому что смешно... Что же делать, когда бабушка такая, а только я её люблю. Ну, тогда тотчас меня опять посадили на место и уж ни-ни, уйти было нельзя. Я вам ещё забыла сказать, что у нас, то есть у бабушки, свой дом, то есть маленький домик, всего три окна, совсем деревянный и такой же старый, как бабушка; а наверху **мезонин**; вот и переехал к нам в мезонин новый жилец...

— Был и старый жилец? — заметил я мимоходом.

— Уж конечно, был, — отвечала Настенька, — и который умел молчать лучше вас. Скоро он умер, а затем появился новый жилец, потому что нам без жильца жить нельзя: это с бабушкиной пенсией почти весь наш **доход**.

Вопросы

1. Что рассказала Настенька герою о себе?
2. Почему Настенька попросила Феклу сесть на её место?

18

Новый жилец был молодой человек, не здешний[1], приезжий[2]. Так как он не **торговался**, то бабушка и **пустила** его, а потом и спрашивает: «Что, Настенька, наш жилец молодой или нет?» Я обманывать не хотела: «Так, говорю, бабушка, не то чтоб совсем молодой, а так, не старик». «Ну, и приятный на вид?» — спрашивает бабушка. Я опять обманывать не хочу. «Да, приятный, говорю, на вид, бабушка!» А бабушка говорит: «Ах! горе, горе! Я это, **внучка**, тебе для того говорю, чтоб ты на него не засматривалась[3]. Какой век! Не то что в старину[4]!» А бабушке всё бы в старину! И моложе-то она была в старину, и солнце-то было в старину теплее. Вот я сижу и молчу, а про себя думаю: что же это бабушка сама меня спрашивает, хорош ли, молод ли жилец? Да потом совсем позабыла о нём.

Комментарий

здешний[1] - человек, который здесь живет
приезжий[2] - человек, который приехал из другого места
засматриваться[3] - долго смотреть, любоваться
старина[4] - старое время, которое давно прошло

Вопросы

Почему бабушка сдавала мезонин жильцам?

19

Вот раз у́тром к нам и прихо́дит жиле́ц, спроси́ть о том, что ему́ ко́мнату обеща́ли **обо́ями окле́ить**. Сло́во за́ слово, ба́бушка и говори́т: «Сходи́, На́стенька, ко мне в спа́льню, принеси́ бума́ги». Я то́тчас же вста́ла, вся, не зна́ю почему́, покрасне́ла, да и забы́ла, что сижу́ пристёгнутая, нет, чтоб тихо́нько отстегну́ть, чтоб жиле́ц не ви́дел, — вста́ла так, что ба́бушкино кре́сло пое́хало. Как я уви́дела, что жиле́ц всё тепе́рь узна́л про меня́, покрасне́ла, ста́ла на ме́сте да вдру́г и запла́кала, — так **сты́дно** и неприя́тно ста́ло в э́ту мину́ту, что хоть на све́т не гляде́ть! Ба́бушка кричи́т: «Что ж ты стои́шь?» — а я ещё сильне́е...

Жиле́ц как уви́дел, что мне его́ сты́дно ста́ло, попроща́лся и то́тчас ушёл.

С того́ вре́мени я, то́лько услы́шу шум в коридо́ре, стою́ как мёртвая. Вот, ду́маю, жиле́ц идёт, да потихо́ньку на вся́кий слу́чай и отстегну́ була́вку. То́лько всё был не о́н, он не приходи́л. Прошло́ две неде́ли; жиле́ц и присыла́ет сказа́ть с Фёклой, что у него́ книг мно́го францу́зских и что всё хоро́шие кни́ги, так что мо́жно чита́ть; так не хо́чет ли ба́бушка, чтоб я их ей прочита́ла, чтоб не́ было ску́чно? Ба́бушка согласи́лась с благода́рностью; то́лько всё спра́шивала, **нра́вственные** кни́ги и́ли нет, потому́ что е́сли кни́ги безнра́вственные, так тебе́, говори́т, На́стенька, чита́ть ника́к нельзя́, ты плохо́му нау́чишься.

— А чему́ ж научу́сь, ба́бушка? Что там напи́сано?

— А! — говори́т, — опи́сано в них, как молоды́е лю́ди обма́нывают[1] де́вушек, как они́ говоря́т, что хотя́т жени́ться на них, уво́зят их из до́му роди́тельского, как пото́м оставля́ют э́тих несча́стных де́вушек. Я, — говори́т ба́бушка, — мно́го таки́х кни́жек чита́ла, и всё, говори́т, так прекра́сно опи́сано, что ночь сиди́шь, тихо́нько чита́ешь. Так ты, — говори́т, — На́стенька, смотри́, их не чита́й. Каки́х это, — говори́т, — он книг присла́л?

— А всё Ва́льтера Ско́тта рома́ны, ба́бушка.

— Ва́льтера Ско́тта рома́ны! Посмотри́-ка, не положи́л ли он в них како́й-нибу́дь любо́вной запи́сочки?

— Нет, — говорю́, — ба́бушка, нет запи́ски.

— Да ты хорошо́ посмотри́.

— Нет, ба́бушка, нет ничего́.

— Ну, то-то же!

Вот мы и на́чали чита́ть Ва́льтера Ско́тта и за како́й-нибу́дь ме́сяц почти́ всё прочита́ли. Пото́м он ещё и ещё присыла́л, Пу́шкина присыла́л, так что наконе́ц я без книг и быть не могла́ и переста́ла ду́мать, как бы вы́йти за́муж за кита́йского при́нца.

Комментарий

[1] обманывать - говорить неправду

Вопросы

1. Почему Настеньке стало стыдно пред жильцом?
2. Почему бабушка интересовалась, какие книги приносил жилец?

20

Так бы́ло де́ло, когда́ оди́н раз я встре́тилась с на́шим жильцо́м на **ле́стнице**. Ба́бушка заче́м-то посла́ла меня́. Он останови́лся, я покрасне́ла, и он покрасне́л; одна́ко засмея́лся, поздоро́вался, о ба́бушкином здоро́вье спроси́л и говори́т: «Вы кни́ги прочита́ли?» Я отвеча́ла: «Прочита́ла». — «Что ж, говори́т, вам бо́льше понра́вилось?» Я и говорю́: «Пу́шкин бо́льше понра́вился». На э́тот раз тем и ко́нчилось.

Че́рез неде́лю мы опя́ть встре́тились на ле́стнице. В э́тот раз ба́бушка не посыла́ла, а мне само́й на́до бы́ло заче́м-то. Был тре́тий час, а жиле́ц в э́то вре́мя домо́й приходи́л. «Здра́вствуйте!» — говори́т. Я ему́: «Здра́вствуйте!»

— А что, — говори́т, — вам не ску́чно це́лый день сиде́ть вме́сте с ба́бушкой?

Как он э́то у меня́ спроси́л, я, уж не зна́ю почему́, покрасне́ла, и опя́ть мне ста́ло оби́дно, ви́дно потому́, что уж други́е про всё э́то де́ло расспра́шивать ста́ли. Я хоте́ла не отвеча́ть и уйти́, да сил не́ было.

— Послу́шайте, — говори́т, — вы до́брая де́вушка! Извини́те, что я с ва́ми так говорю́, но я вам лу́чше ба́бушки ва́шей жела́ю добра́. У вас подру́г нет никаки́х, к кото́рым бы мо́жно бы́ло в го́сти пойти́?

Я говорю́, что никаки́х, что была́ одна́, Ма́шенька, да и та в Псков уе́хала.

— Послу́шайте, — говори́т, — хоти́те со мно́ю в теа́тр пое́хать?

— В теа́тр? как же ба́бушка-то?

— Да вы, — говори́т, — тихо́нько от ба́бушки...

— Нет, — говорю́, — я ба́бушку обма́нывать не хочу́. Проща́йте-с!

— Ну, проща́йте, — говори́т, а сам ничего́ не сказа́л.

Вопросы

Что говори́л жиле́ц Насте́ньке, когда́ они́ случа́йно встре́тились на ле́стнице?

21

Только после обеда приходит он к нам; сел, долго говорил с бабушкой, расспрашивал, выезжает ли она куда-нибудь, есть ли знакомые — да вдруг и говорит: «А сегодня я **ложу** взял в оперу; «Севильского **цирюльника**» дают; знакомые ехать хотели, да потом отказались, у меня и остался билет на руках».

— «Севильского цирюльника»! — закричала бабушка, — да это тот самый цирюльник, которого в старину давали?

— Да, — говорит, — это тот самый цирюльник, — да и взглянул на меня. А я уж всё поняла, покраснела, и у меня сердце от ожидания **запрыгало!**

— Да как же, — говорит бабушка, — как не знать! Я сама в старину в домашнем театре Розину играла!

— Так не хотите ли ехать сегодня? — сказал жилец. — У меня билет есть.

— Да, пожалуй, пойдём, — говорит бабушка, — почему ж не поехать? А вот у меня Настенька в театре никогда не была.

Боже мой, какая радость! Тотчас же мы собрались и поехали. Бабушка хоть и слепа, а всё-таки ей хотелось музыку слушать, да, кроме того, она старушка добрая: больше мне приятное хотела сделать, сами-то мы никогда бы не собрались. Уж какое было впечатление от «Севильского цирюльника», я вам не скажу, только весь этот вечер жилец наш так хорошо смотрел на меня, так хорошо говорил, что я тотчас увидела, что он меня хотел проверить утром, когда предложил, чтоб я одна с ним поехала. Ну, радость какая! Спать я легла такая **гордая,** такая весёлая и всю ночь мечтала о «Севильском цирюльнике».

Вопросы

Почему Настенька всю ночь после оперы мечтала о «Севильском цирюльнике»?

22

Я думала, что после этого он всё будет заходить чаще и чаще, — не тут-то было[1]. Он почти совсем перестал заходить. Так, один раз в месяц зайдёт, и то только с тем, чтоб в театр пригласить. Раза два мы опять потом съездили. Только уж этим я была совсем недовольна. Я видела, что ему просто жалко было меня, а больше-то и ничего. Дальше и дальше, и нашло на меня: и сидеть-то я не сижу, и читать-то я не читаю, и работать не работаю, иногда смеюсь и бабушке что-нибудь назло делаю, другой раз просто плачу. Наконец я чуть было не стала больна. Оперный сезон прошёл, и жилец к нам совсем перестал заходить; когда же мы встречались — всё на той же лестнице, разумеется, — он так молча **поклонится**, так серьёзно, как будто и говорить не хочет.

Теперь сейчас и конец. Ровно год тому, в мае месяце, жилец к нам приходит и говорит бабушке, что он получил здесь своё дело и что он должен опять уехать на год в Москву. Я, как услышала, побледнела и упала на стул как мёртвая. Бабушка ничего не заметила, а он, сказав, что уезжает от нас, попрощался и ушёл.

Что мне делать? Я думала-думала, да наконец и решилась. Завтра ему уезжать, а я решила, что всё кончу вечером, когда бабушка уйдёт спать. Так и случилось. Я собрала свои вещи и с вещами в руках, ни жива ни мертва[2], пошла в мезонин к нашему жильцу. Думаю, я шла целый час по лестнице. Когда же открыла к нему дверь, он так и вскрикнул, на меня глядя. Он думал, что я **привидение**, и бросился мне воды подать, потому что я едва стояла на ногах. Сердце так **билось**, что в голове больно было. Когда же я **очнулась**, то положила свои вещи к нему на кровать, сама села около, закрылась руками и **заплакала**.

Он, кажется, мигом всё понял и стоял передо мной бледный и грустно глядел на меня.

— Послушайте, — начал он, — послушайте, Настенька, я ничего не могу: я человек бедный; у меня пока нет ничего, даже места хорошего; как же мы будем жить, если б я и женился на вас?

Мы до́лго говори́ли, и я наконе́ц сказа́ла, что не могу́ жить у ба́бушки, что убегу́ от неё, что не хочу́, чтоб меня́ була́вкой пристёгивали, и что я, как он хо́чет, пое́ду с ним в Москву́, потому́ что без него́ жить не могу́. И стыд, и любо́вь, и го́рдость — всё вме́сте говори́ло во мне, и я упа́ла на крова́ть. Я так боя́лась отка́за!

Комментарий

не тут-то было[1] - всё случилось по-другому, не так, как думали
ни жива, ни мертва[2] - о человеке, который очень боится

Вопросы

1. Как вела себя Настенька, когда жилец перестал заходить к ним?
2. Что сообщил жилец бабушке?
3. Что сказал жилец Настеньке?

23

Он не́сколько мину́т сиде́л мо́лча, пото́м встал, подошёл ко мне́ и взял меня́ за́ руку.

— Послу́шайте, моя́ до́брая, моя́ ми́лая На́стенька! — на́чал он то́же со слеза́ми на глаза́х, — послу́шайте. Кляну́сь вам, что е́сли когда́-нибу́дь я смогу́ жени́ться, то обяза́тельно вы сде́лаете меня́ счастли́вым. Слу́шайте! я е́ду в Москву́ и бу́ду там ро́вно год. Я наде́юсь устро́ить дела́ свои́. Когда́ верну́сь, и е́сли вы меня́ не разлю́бите, кляну́сь вам, мы бу́дем сча́стливы. Тепе́рь же невозмо́жно, я не могу́ ничего́ обеща́ть. Но повторя́ю, е́сли че́рез год э́то не сде́лается, то хоть когда́-нибу́дь обяза́тельно бу́дет, разуме́ется, в том слу́чае, е́сли вы не полю́бите друго́го.

Вот что он сказа́л мне и уе́хал. Договори́лись ба́бушке не говори́ть об э́том ни сло́ва. Так он захоте́л. Ну, вот тепе́рь почти́ и ко́нчена вся моя́ исто́рия. Прошёл ро́вно год. Он прие́хал, он уж здесь все три дня, и, и...

— И что же? — закрича́л я.

— И до сих пор[1] не являлся! — отвечала Настенька, — ни слуху ни духу[2]...

Тут она остановилась, помолчала немного, **опустила** голову и вдруг заплакала. Я никак не ожидал такого конца.

Комментарий

до сих пор[1] - до этого времени
ни слуху ни духу[2] - нет никаких известий

Вопросы

Что предложил Настеньке жилец?

24

— Настенька! — начал я робким и тихим голосом, — Настенька! ради бога, не плачьте! Почему вы знаете? может быть, его ещё нет...

— Здесь, здесь! — сказала Настенька. — Он здесь, я это знаю. У нас было условие, тогда ещё, в тот вечер, перед **отъездом**: когда уже мы сказали всё, что я вам рассказала, и договорились, мы вышли сюда гулять, на эту набережную. Было десять часов; мы сидели на этой скамейке; я уже не плакала, мне было приятно слушать то, что он говорил... Он сказал, что тотчас же, когда вернётся, придёт к нам, и если я не откажусь от него, то мы скажем обо всём бабушке. Теперь он приехал, я это знаю, и его нет, нет!

И она снова заплакала.

— Боже мой! Да разве никак нельзя помочь вам? — закричал я. — Скажите, Настенька, нельзя ли будет мне сходить к нему?..

— Разве это возможно? — сказала она, вдруг подняв голову.

— Нет, разумеется, нет! — заметил я. — А вот что: напишите письмо.

— Нет, это невозможно, это нельзя! — отвечала она решительно, но уже опустила голову и не смотрела на меня.

— Как нельзя? Почему ж нельзя? — продолжал я. — Но, знаете, Настенька, какое письмо! Ах, Настенька, это так! Поверьте мне, поверьте! Я вам не дам плохого совета. Всё это можно изменить. Вы же начали первый шаг — почему же теперь...

— Нельзя, нельзя! Тогда я как будто **навязываюсь**...

— Ах, добрая моя Настенька! — сказал я, не улыбаясь, — нет же, нет. Да и по всему я вижу, что он человек **деликатный**, что он поступил хорошо, — продолжал я, — он как поступил? Он сказал, что ни на ком не женится, кроме вас, если только женится; вам же он оставил полную свободу хоть сейчас от него отказаться... В таком случае вы можете сделать первый шаг, вы имеете перед ним **преимущество**...

— Послушайте, вы как бы написали?

— Что?

— Да это письмо.

— Я бы вот как написал: «**милостивый государь**...»

— Это так обязательно нужно — милостивый государь?

— Обязательно! Впрочем, почему ж? я думаю...

— Ну, ну! дальше!

— «Милостивый государь! Извините, что я...» Нет, не нужно никаких извинений! Пишите просто: «Я пишу к вам. Простите мне моё нетерпение; но я целый год была счастлива надеждой; виновата ли я, что не могу теперь ждать? Теперь, когда уже вы приехали, может быть, вы уже изменили своё решение. Тогда это письмо скажет вам, что я не обвиняю вас. Я не обвиняю вас; такова уж судьба моя! Вы деликатный человек. Вы не улыбнётесь и не рассердитесь на моё письмо. Вспомните, что его пишет бедная девушка, что она одна, что некому ни научить её, ни посоветовать ей. Но простите меня, что в моей душе хотя на миг появилось **сомнение**. Вы не можете даже и мысленно обидеть ту, которая вас так любила и любит».

— Да, да! это то́чно так, как я ду́мала! — закрича́ла На́с-тенька, и ра́дость появи́лась в глаза́х её. — О! вы разреши́ли мои́ сомне́ния, вас мне сам бог посла́л! Благодарю́, благодарю́ вас!
— За что? за то, что меня́ бог посла́л? — отвеча́л я, гля́дя на её ра́достное ли́чико.
— Да, хоть за то́.
— Ах, На́стенька! Ведь благодари́м же мы други́х люде́й хоть за то́, что они́ живу́т вме́сте с на́ми. Я благодарю́ вас за то́, что вы мне встре́тились, за то́, что це́лый век мой бу́ду вас по́мнить!

Вопросы

Что наш герой посоветовал Настеньке написать в письме жильцу?

25

— Ну, не на́до! А тепе́рь вот что, слу́шайте-ка: тогда́ бы́ло усло́вие, что как то́лько прие́дет он, так то́тчас даст знать о себе́ тем, что оста́вит мне письмо́ в одно́м ме́сте, у одни́х мои́х знако́-мых, до́брых и просты́х люде́й, кото́рые ничего́ об э́том не зна́ют; и́ли е́сли нельзя́ бу́дет написа́ть ко мне письма́, потому́ что в письме́ не всегда́ всё расска́жешь, то он в тот же день, как прие́дет, бу́дет здесь ро́вно в де́сять часо́в, где мы и договори́лись с ним встре́титься. О прие́зде его́ я уже́ зна́ю; но вот уже́ тре́тий день нет ни письма́, ни его́. Уйти́ мне от ба́бушки у́тром ника́к нельзя́. Отда́йте письмо́ моё за́втра тем до́брым лю́дям, о кото́рых я вам говори́ла: они́ уже́ переда́дут; а е́сли бу́дет отве́т, то са́ми вы прине-сёте его́ ве́чером в де́сять часо́в.
— Но письмо́, письмо́! Ведь ра́ньше ну́жно письмо́ написа́ть!
— Письмо́... — отвеча́ла На́стенька, немно́го **смути́вшись**, — письмо́... но...
Но она́ не договори́ла. Она́ снача́ла покрасне́ла, как ро́за, и вдруг я почу́вствовал в мое́й руке́ письмо́, уже́ давно́ напи́санное, совсе́м пригото́вленное. Како́е-то знако́мое, ми́лое, прия́тное вос-помина́ние пронесло́сь в мое́й голове́[1].

— Ро-зи́-на, — на́чал я.

— Рози́на! — запе́ли мы о́ба, я, чуть не **обнима́я** её от сча́стья, она́ покрасне́в, как то́лько могла́ покрасне́ть, и смея́лась со слеза́ми на глаза́х.

— Ну, не на́до, не на́до! Проща́йте тепе́рь! — сказа́ла она́ бы́стро. — Вот вам письмо́, вот и а́дрес, куда́ отнести́ его́... Проща́йте! до свида́ния! до за́втра!

Она́ кре́пко сжа́ла мне о́бе руки́ и убежа́ла. Я до́лго стоя́л на ме́сте, провожа́я её глаза́ми. «До за́втра! до за́втра!» — поду́мал я, когда́ её не ста́ло ви́дно.

Комментарий

пронеслось в (моей) голове[1] - пролетела мысль

Вопросы

Что сообщила Настенька нашему герою?

26
НОЧЬ ТРЕТЬЯ

Сего́дня был день **печа́льный**, дождли́вый, без просве́та, то́чно бу́дущая ста́рость моя́. Меня́ беспоко́ят таки́е стра́нные мы́сли, таки́е ещё не я́сные для меня́ вопро́сы стоя́т в мое́й голове́ — а нет ни си́лы, ни жела́ния их разреши́ть. Не мне разреши́ть всё э́то!

Сего́дня мы не уви́димся. Вчера́, когда́ мы проща́лись, я сказа́л, что за́втра бу́дет плохо́й день; она́ не отвеча́ла, для неё э́тот день и све́тел и я́сен.

Она́ была́ сча́стлива.

— Е́сли бу́дет дождь, мы не уви́димся! — сказа́ла она́. — я не приду́.

Я ду́мал, что она́ и не заме́тила сего́дняшнего дождя́, но она́ не пришла́.

Вчера́ бы́ло на́ше тре́тье свида́ние, на́ша тре́тья бе́лая ночь[1]...

38

Однако как радость и счастье делают человека прекрасным! как кипит сердце любовью! Кажется, хочешь, чтоб всем было весело, все смеялись. И как прекрасна эта радость! Вчера в её словах было столько сердечной доброты... Как она **ухаживала** за мной, как **ласкалась** ко мне. А я... я принимал всё за чистую монету[2]; я думал, что она... Но, боже мой, как же мог я это думать? как же мог я быть так слеп, когда уже всё взял другой, всё не моё; когда, наконец, даже эта самая **нежность** её, её забота, её любовь... да, любовь ко мне, — была не что иное[3], как радость о скором свидании с другим, желание передать и мне своё счастье?.. Когда он не пришёл, когда мы прождали напрасно, она **испугалась**. Все движения её, все слова её уже стали не так легки, игривы и веселы. И, странное дело, — она **удвоила** ко мне своё внимание, как будто желала мне передать то, чего сама желала себе, и сама боялась, если этого не будет. Моя Настенька так испугалась, что, кажется, поняла наконец, что я люблю её, и ей стало жалко меня. Так, когда мы несчастны, мы сильнее чувствуем несчастье других.

Комментарий

белая ночь[1] - короткая северная ночь, когда светло, как днем
принимать все за чистую монету[2] - верить всему
не что иное, как[3] - именно это

Вопросы

1. Как вела себя Настенька с нашим героем в третью ночь?
2. Почему Настенька не изменила своего доброго чувства к герою, когда поняла, что жилец не придет?

27

Я пришёл к ней с полным сердцем и едва дождался свидания. Я не предчувствовал того, что всё это не так кончится. Она была ра́достна, она́ ожида́ла отве́та. Отве́т был он сам. Он до́лжен был прийти́. Она́ пришла́ ра́ньше меня́ на це́лый ча́с. Снача́ла она́ сме-я́лась, ка́ждому сло́ву моему́ смея́лась. Я на́чал бы́ло говори́ть и замолча́л.

— Зна́ете ли, почему́ я так ра́да? — сказа́ла она́, — так ра́да на вас смотре́ть? так люблю́ вас сего́дня?

— Ну? — спроси́л я, и се́рдце моё задрожа́ло.

— Я потому́ люблю́ вас, что вы не влюби́лись в меня́. Ведь вот друго́й, на ва́шем ме́сте, стал бы беспоко́ить, пристава́ть, а вы тако́й ми́лый!

Тут она́ так сжа́ла мою́ ру́ку, что я чуть не закрича́л. Она́ зас-мея́лась.

— Бо́же! како́й вы друг! — на́чала она́ че́рез мину́ту о́чень серьёзно. — Да вас бог мне посла́л! Ну, что бы со мно́й бы́ло, е́сли б вас со мно́й тепе́рь не́ было? Как хорошо́ вы меня́ лю́бите! Когда́ я вы́йду за́муж, мы бу́дем о́чень дружны́, бо́льше чем как бра́тья. Я бу́ду вас люби́ть почти́ так, как его́...

Мне ста́ло как-то ужа́сно гру́стно, одна́ко что-то похо́жее на смех появи́лось в душе́ мое́й.

— Вы не в себе́[1], — сказа́л я, — вы бойтесь, вы ду́маете, что он не придёт.

— Бог с ва́ми! — отвеча́ла она́, — е́сли б я была́ ме́ньше сча́стлива, я бы, ка́жется, запла́кала потому́, что вы не ве́рите. Но, вы навели́ меня́ на мы́сль[2]; я поду́маю пото́м, а тепе́рь скажу́ вам, что пра́вду вы говори́те. Да! я как-то сама́ не своя́; я как-то вся в ожида́нии и чу́вствую всё как-то о́чень легко́. Ну, не на́до про чу́вства!..

Комментарий

не в себе́[1] - в сильном волнении, когда чувствуешь себя не так как всегда

навести на мысль[2] - дать идею

Вопросы

Почему Настенька смеялась каждому слову нашего героя?

28

В это время послышались шаги, и в темноте показался человек, который шёл к нам навстречу. Мы оба задрожали; она чуть не вскрикнула. Я опустил её руку и сделал шаг, как будто хотел отойти. Но мы ошиблись: это был не он.

— Чего вы боитесь? Зачем вы бросили мою руку? — сказала она, подавая мне её опять. — Ну, что же? мы встретим его вместе. Я хочу, чтоб он видел, как мы любим друг друга.

— Как мы любим друг друга! — закричал я.

«О Настенька, Настенька! — подумал я, — как этим словом ты много сказала! От такой любви, Настенька, в другой час холодеет на сердце и становится тяжело на душе. Твоя рука холодная, моя горячая, как огонь. Какая слепая ты, Настенька!.. О! как неприятен счастливый человек в эту минуту! Но я не мог на тебя **рассердиться!..**»

Наконец сердце моё **переполнилось.**

— Послушайте, Настенька! — закричал я, — знаете ли, что со мной было весь день?

— Ну, что, что такое? рассказывайте скорее! Что ж вы молчали!

— Во-первых, Настенька, когда я отдал письмо, был у ваших добрых людей, потом... потом я пришёл домой и лёг спать.

— Только-то? — перебила она, засмеявшись.

— Да, почти только-то, — отвечал я, потому что в глазах моих уже появились глупые слёзы. — Я проснулся за час до нашего свидания, но как будто и не спал. Не знаю, что было со мною. Я шёл, чтоб вам это всё рассказать, как будто время для меня остановилось, как будто одно чувство должно было остаться с этого времени во мне навсегда, как будто одна минута должна была продолжаться целую **вечность,** и как будто вся жизнь остановилась для меня... Когда я проснулся, мне казалось, что какой-то музыкальный **мотив,** давно знакомый, где-то раньше слышанный, забытый и приятный, теперь вспоминался мне. Мне казалось, что он всю жизнь был в душе моей, и только теперь...

— Ах, бо́же мой, бо́же мой! — сказа́ла На́стенька, — как же э́то всё так? Я не понима́ю ни сло́ва.

— Ах, На́стенька! мне хоте́лось как-нибу́дь переда́ть вам э́то стра́нное впечатле́ние... — на́чал я го́лосом, в кото́ром была́ ещё наде́жда, хотя́ о́чень далёкая.

— Не на́до, переста́ньте, не на́до! — заговори́ла она́, и в оди́н миг она́ догада́лась. Вдруг она́ сде́лалась как-то необыкнове́нно говорли́ва, весела́, игри́ва. Она́ взяла́ меня́ по́д руку, смея́лась, хоте́ла, чтоб и я то́же смея́лся, и ка́ждое **смущённое** сло́во моё вызыва́ло в ней тако́й гро́мкий, тако́й до́лгий сме́х... Я начина́л серди́ться, она́ вдруг начала́ **коке́тничать**.

— Послу́шайте, — начала́ она́, — а ведь мне немно́жко не нра́вится, что вы не влюби́лись в меня́... Я вам всё говорю́, всё говорю́, кака́я бы глу́пость не появи́лась у меня́ в голове́.

— Слу́шайте! Э́то оди́ннадцать часо́в, ка́жется? — сказа́л я. Она́ вдруг останови́лась, переста́ла смея́ться и начала́ счита́ть.

— Да, оди́ннадцать, — сказа́ла она́ наконе́ц ро́бким, нереши́тельным го́лосом.

Я то́тчас же пожале́л. Мне ста́ло за неё гру́стно, и я не знал, что де́лать. Я на́чал её успока́ивать. Никого́ нельзя́ ле́гче обману́ть, как её в э́ту мину́ту, да и ка́ждый в э́ту мину́ту как-то ра́достно слу́шает всё и рад-рад, е́сли есть хоть ма́ленькая наде́жда.

— Да и смешно́е де́ло, — на́чал я, — да и не мог он прийти́; вы и меня́ обману́ли, На́стенька, так что я и вре́мени счёт потеря́л... Вы то́лько поду́майте: он не мог получи́ть письмо́; письмо́ придёт не ра́ньше, как за́втра. Я за ним за́втра ра́но у́тром схожу́ и то́тчас же дам знать. Наконе́ц его́ могло́ и не бы́ть до́ма, когда́ пришло́ письмо́, и он, мо́жет быть, его́ и ещё не чита́л? Ведь всё мо́жет случи́ться.

— Да, да! — отвеча́ла На́стенька, — я и не поду́мала; коне́чно, всё мо́жет случи́ться, — продолжа́ла она́ са́мым сгово́рчивым[1] го́лосом, но в кото́ром, как неприя́тный диссона́нс, слы́шалась кака́я-то друга́я мысль. — Вот что вы сде́лайте, — продолжа́ла она́, — вы иди́те за́втра, как мо́жно ра́ньше, и, е́сли полу́чите что-нибу́дь, то́тчас же да́йте мне знать. Вы ведь зна́ете, где я живу́? — И она́ начала́ повторя́ть мне свой а́дрес.

43

Потом она вдруг стала так ласкова, так робка со мною... Она, казалось, слушала внимательно, что я ей говорил; но когда я обратился к ней с каким-то вопросом, она промолчала. Я заглянул ей в глаза — так и есть: она плакала.

— Ну, можно ли, можно ли? Ах, какой вы ребёнок! Не надо! Она попробовала улыбнуться, успокоиться, но у неё ничего не **получилось**.

— Я думаю о вас, — сказала она мне после минутного молчания, — вы так добры, что я была бы каменная, если б не чувствовала этого... Знаете ли, что мне пришло теперь в голову? Я вас обоих сравнивала. Зачем он — не вы? Зачем он не такой, как вы? Он хуже вас, хоть я и люблю его больше вас.

Я не отвечал ничего. Она, казалось, ждала, чтоб я сказал что-нибудь.

— Конечно, я, может быть, не совсем ещё его понимаю, не совсем его знаю. Знаете, я как будто всегда боялась его; он всегда был такой серьёзный, такой как будто гордый. Конечно, я знаю, что это он только смотрит так, что в сердце его больше, чем в моём, нежности... Я помню, как он посмотрел на меня тогда, как я, помните, пришла к нему с вещами, но всё-таки я его как-то очень уважаю, а ведь это как будто бы мы и **неровня**?

— Нет, Настенька, нет, — отвечал я, — это значит, что вы его больше всего на свете любите и даже больше себя самой любите.

— Да, это так, — отвечала Настенька, — но знаете ли, что мне пришло теперь в голову? Только я теперь не про него буду говорить; мне уже давно всё это приходило в голову. Послушайте, зачем самый лучший человек всегда как будто что-то **скрывает** от другого и молчит? Зачем прямо, сейчас, не сказать, что есть на сердце? А то каждый так смотрит, как будто он серьёзнее, чем он есть на самом деле, как будто все боятся **оскорбить** свои чувства, если очень скоро выскажут их.

— Ах, Настенька! правду вы говорите; да ведь это происходит от многих причин, — перебил я, который сам больше всего в эту минуту скрывал свои чувства.

— Нет, нет! — отвечала она с глубоким чувством. — Вот вы, например, не такой, как другие! Я, правда, не знаю, как бы вам это рассказать, что я чувствую; но мне кажется, вы вот, например... теперь... мне кажется, вы чем-то для меня **жертвуете**, — прибавила она робко, быстро взглянув на меня.

— Вы меня простите, если я вам так говорю: я ведь простая девушка; я мало ещё видела на свете и не умею иногда говорить, — сказала она голосом, дрожавшим от какого-то тайного чувства, и стараясь между тем улыбнуться, — но мне только хотелось сказать вам, что я благодарна, что я тоже всё это чувствую... о, дай вам бог за это счастья! Вот то, что вы мне говорили тогда о вашем мечтателе, это неправда, то есть, я хочу сказать, совсем к вам не относится. Вы совсем другой человек, чем как вы себя описали. Если вы когда-нибудь полюбите, то дай вам бог счастья с нею! А ей я ничего не желаю, потому что она будет счастлива с вами. Я знаю, я сама женщина, и вы должны мне верить, если я вам так говорю...

Она замолчала и крепко пожала руку мне. Я тоже не мог ничего говорить от волнения. Прошло несколько минут.

— Да, ви́дно, что он не придёт сего́дня! — сказа́ла она́ наконе́ц и подняла́ го́лову. — По́здно!..

— Он придёт за́втра, — сказа́л я са́мым твёрдым го́лосом.

— Да, — сказа́ла она́ весело. — Я сама́ тепе́рь ви́жу, что он придёт то́лько за́втра. Ну, так до свида́ния! до за́втра! если бу́дет дождь, я, мо́жет быть, не приду́. Но послеза́втра я приду́, обяза́тельно приду́, что бы со мно́й ни́ было; бу́дьте здесь обяза́тельно, я хочу́ вас ви́деть, я вам всё расскажу́.

И пото́м, когда́ мы проща́лись, она́ подала́ мне ру́ку и сказа́ла, я́сно взгляну́в на меня́:

— Ведь мы тепе́рь навсегда́ вме́сте, не пра́вда ли?

О! На́стенька! На́стенька! е́сли б ты зна́ла, в како́м я тепе́рь одино́честве!

В де́вять часо́в, я не мог усиде́ть в ко́мнате, оде́лся и вы́шел, несмотря́ на дождь.

Я был там, сиде́л на на́шей скаме́йке. Я хоте́л идти́ в их **переу́лок**, но мне ста́ло сты́дно, и я верну́лся, не взгляну́в на их о́кна, не дойдя́ двух шаго́в до их до́ма. Я пришёл домо́й в тако́й тоске́, в како́й никогда́ не быва́л. Како́е ску́чное вре́мя! е́сли б была́ хоро́шая пого́да, я бы прогуля́л там всю ночь... Но до за́втра, до за́втра! За́втра она́ мне всё расска́жет.

Одна́ко письма́ сего́дня не́ было. Но так и должно́ быть. Они́ уже́ вме́сте.

Комментарий

сгово́рчивый (челове́к)[1] - тот, с кото́рым легко́ договори́ться

Вопросы

1. Что чувствовал наш герой весь следующий день?

2. Почему Настенька вдруг стала необыкновенно весела, игрива, кокетлива?

3. Как наш герой успокаивал Настеньку?

4. О чем попросила Настенька героя?

5. Что говорила Настенька герою о своем отношении к жильцу?

6. Какая мысль пришла Настеньке в голову?

7. Что говорила Настенька о герое?

НОЧЬ ЧЕТВЁРТАЯ

Бóже, как всё это кóнчилось! Чем всё это кóнчилось! Я пришёл в дéвять часóв. Онá былá ужé там.

Я ещё и́здали замéтил её; онá стоя́ла, как тогдá, в пéрвый раз, на нáбережной, и не слы́шала, как я подошёл к ней.

— Нáстенька! — позвáл я её, си́льно волнуя́сь.

Онá бы́стро посмотрéла на меня́.

— Ну! — сказáла онá, — ну! поскорéе! Я смотрéл на неё с удивлéнием.

— Ну, где же письмó? Вы принесли́ письмó? — повтори́ла онá.

— Нет, у меня́ нет письмá, — сказáл я наконéц, — рáзве он ещё нé был?

Онá стрáшно побледнéла и дóлгое врéмя смотрéла на меня́. Я разби́л послéднюю её надéжду.

— Ну, бог с ним! — проговори́ла онá наконéц ти́хим гóлосом, — бóг с ним, éсли он так оставля́ет меня́.

Онá опусти́ла глазá, потóм хотéла взгляну́ть на меня́, но не моглá. Ещё нéсколько мину́т онá **переси́ливала** своё волнéние, но вдруг опя́ть заплáкала.

— Не нáдо, не нáдо! — заговори́л бы́ло я, но у меня́ сил нé было продолжáть, на неё гля́дя, да и что бы я стал говори́ть?

— Не успокáивайте меня́, — говори́ла онá плáча, — не говори́те про негó, не говори́те, что он придёт, что он не брóсил меня́ так бесчеловéчно, как он сдéлал. За что, за что? Неужéли что-нибу́дь бы́ло в моём письмé, в этом несчáстном письмé?..

Мне тяжело было смотреть на неё.

— О, как это бесчеловечно! — начала она снова. — Хоть бы отвечал, что я не нужна ему, а то ничего не написал за три дня! Как легко ему обидеть бедную, беззащитную девушку, которая тем и виновата, что любит его! О, сколько я **вытерпела** в эти три дня! Боже мой, боже мой! Как я вспомню, что я пришла к нему в первый раз сама, что я перед ним **унижалась**, плакала, что я просила у него хоть **каплю** любви... И после этого!.. Послушайте, — заговорила она, и чёрные глазки её заблестели, — да это не так! это не может быть так! Или вы, или я ошиблись; может быть, он письма не получил? Может быть, он ещё ничего не знает? Как же можно, судите сами, скажите мне, ради бога, объясните мне — я этого не могу понять, — как можно так ужасно поступить, как он поступил со мною! Ни одного слова! Может быть, он что-нибудь слышал, может быть, кто-нибудь ему наговорил обо мне? — закричала она, обратившись ко мне с вопросом. — Как, как вы думаете?

— Слушайте, Настенька, я пойду завтра к нему от вашего имени.

— Ну!

— Я спрошу его обо всём, расскажу ему всё.

— Ну, ну!

— Вы напишите письмо. Не говорите нет, Настенька, не говорите нет! Я **заставлю** его уважать вас, он всё узнает, и если...

— Нет, мой друг, нет, — перебила она. — Не надо! Больше ни слова, ни одного слова от меня — не надо! Я его не знаю, я не люблю его больше, я его по...за...буду...

Она не договорила.

— Успокойтесь, успокойтесь! Сядьте здесь, Настенька, — сказал я и посадил её на скамейку.

— Да я спокойна. Не надо! Это так! Что вы думаете, что я умру?.. Сердце моё было полно; я хотел было заговорить, но не мог.

— Слушайте! — продолжала она, взяв меня за руку, — скажите: вы бы не так поступили? вы бы не бросили той, которая бы

48

са́ма к вам пришла́? Вы бы по́няли, что она́ была́ одна́, что она́ не винова́та, что она́, наконе́ц, не винова́та... что она́ ничего́ не сде́лала!.. О бо́же мой, бо́же мой...

— На́стенька! — закрича́л я в си́льном волне́нии.

— На́стенька! вы убива́ете меня́, На́стенька! Я не могу́ молча́ть! Я до́лжен наконе́ц говори́ть, вы́сказать, что у меня́ наболе́ло тут в се́рдце...

Говоря́ э́то, я вста́л со скаме́йки. Она́ взяла́ меня́ за́ руку и смотре́ла на меня́ с удивле́нием.

— Что с ва́ми? — проговори́ла она́ наконе́ц.

— Слу́шайте! — сказа́л я реши́тельно. — Слу́шайте меня́, На́стенька! Что я бу́ду тепе́рь говори́ть, всё несбы́точно[1], всё глу́по! Я зна́ю, что э́того никогда́ не мо́жет случи́ться, но не могу́ же я молча́ть. Зара́нее прошу́ вас, прости́те меня́!..

— Ну, что, что? — говори́ла она́, переста́в пла́кать и внима́тельно смотря́ на меня́, тогда́ как стра́нное **любопы́тство** блиста́ло в её удивлённых гла́зках, — что с ва́ми?

— Э́то несбы́точно, но я вас люблю́, На́стенька! вот что! Ну, тепе́рь всё ска́зано! — сказа́л я. — Тепе́рь вы уви́дите, мо́жете ли вы так говори́ть со мной, как сейча́с говори́ли, мо́жете ли вы наконе́ц слу́шать то, что я бу́ду вам говори́ть.

Комментарий

несбыточно[1] - не может никогда быть

Задания

Что говорила Настенька, когда наш герой стал успокаивать ее?

— Ну, что ж, что же? — перебила Настенька, — что ж из этого? Ну, я давно знала, что вы меня так, просто любите... Ах, боже мой, боже мой!

— Сначала было просто, Настенька, а теперь, теперь... я точно так же, как вы, когда вы пришли к нему тогда с вашими вещами. Хуже, чем как вы, Настенька, потому что он тогда никого не любил, а вы любите.

— Что это вы мне говорите! Я наконец вас совсем не понимаю. Но послушайте, зачем же это, то есть не зачем, а почему же это вы так, и так вдруг... Боже! я говорю глупости! Но вы...

И Настенька совершенно **смутилась**. Щёки её покраснели, она опустила глаза.

— Что же делать, Настенька, что ж мне делать! я виноват, я сделал зло... Но нет же, нет, не виноват я, Настенька; я это слышу, чувствую, потому что моё сердце мне говорит, что я прав, потому что я вас ничем не могу обидеть, ничем оскорбить! Я был друг ваш; ну, вот я и теперь друг; я ничему не изменил. Вот у меня теперь слёзы **текут**, Настенька. Пусть текут, пусть текут — они никому не мешают...

— Да сядьте же, сядьте, — сказала она, сажая меня на скамейку, — ох, боже мой!

— Нет! Настенька, я не сяду; я уже больше не могу быть здесь, вы уже меня больше не можете видеть; я всё скажу и уйду. Я только хочу сказать, что вы бы никогда не узнали, что я вас люблю... Я бы не стал вас мучить теперь, в эту минуту, моим эгоизмом. Нет! но я не мог теперь вытерпеть; вы сами заговорили об этом, вы виноваты, вы во всём виноваты, а я не виноват. Вы не можете прогнать меня от себя...

— Да нет же, нет, я не прогоняю вас, нет! — говорила Настенька, **скрывая**, как только могла, своё **смущение**, бедненькая[1].

— Вы меня не прогоните? нет! а я сам хотел бежать от вас. Я и уйду, только я всё скажу сначала, потому что, когда вы здесь говорили, я не мог усидеть, когда вы здесь плакали, когда вы мучились потому, ну потому (уж я назову это, Настенька) потому, что вас не принимают, потому, что отвергли вашу любовь, я почувствовал, я услышал, что в моём сердце столько любви для вас, Настенька, столько любви!.. И мне стало так неприятно, что я не могу помочь вам своей любовью... и я, я — не мог молчать, я должен был говорить, Настенька, я должен был говорить!..

— Да, да! говорите мне, говорите со мною так! — сказала Настенька. — Вам, может быть, странно, что я с вами так говорю, но... говорите! я вам после скажу! я вам всё расскажу!

Комментарий

бедненькая[1] - очень несчастная

Вопросы

Как повела себя Настенька после объяснения героя в любви?

31

— Вам жаль меня, Настенька; вам просто жаль меня, дружочек мой! Уж что произошло, то произошло! уж что сказано, того не вернёшь! Не так ли? Ну, так вы теперь знаете всё. Ну, хорошо! теперь всё это прекрасно; только послушайте. Когда вы сидели и плакали, я про себя думал (ох, уж дайте мне сказать, что я думал!), я думал, что (нет, уж конечно, этого не может быть, Настенька), я думал, что вы... я думал, что вы как-нибудь там... ну, каким-нибудь образом, уж больше его не любите. Тогда — я это и вчера и третьего дня уже думал, Настенька, — тогда я бы сделал так, я бы обязательно сделал так, что вы бы меня полюбили: вы сказали, вы сами говорили, Настенька, что вы меня уже почти совсем полюбили. Ну, что ж дальше? Ну, вот почти и всё, что я хотел сказать; остаётся только сказать, что бы тогда было, если б вы меня полюбили, только это, больше ничего! Послушайте же, друг мой, — потому что вы всё-таки мой друг, — я, конечно, человек простой, бедный, такой незначительный[1], только не в том дело (я как-то всё не про то говорю, это от смущения, Настенька), а только я бы вас так люби́л, так люби́л, что е́сли б вы ещё и люби́ли его́ и продолжа́ли люби́ть того́, кото́рого я не зна́ю, то не заме́тили бы, что моя́ любо́вь как-нибу́дь для вас тяжела́. Вы бы то́лько слы́шали, вы бы то́лько чу́вствовали ка́ждую мину́ту, что о́коло вас **бьётся** благода́рное, благода́рное се́рдце, горя́чее се́рдце, кото́рое за вас... Ох, На́стенька, На́стенька! что вы со мной сде́лали!..

— Не пла́чьте же, я не хочу́, чтоб вы пла́кали, — сказа́ла На́стенька и бы́стро вста́ла со скаме́йки, — пойдёмте, вста́ньте, пойдёмте со мной, не пла́чьте же, не пла́чьте, — говори́ла она́, — ну, пойдёмте тепе́рь; я вам, мо́жет быть, скажу́ что-нибу́дь... Да, уж е́сли тепе́рь он оста́вил меня́, е́сли он позабы́л меня́, хотя́ я ещё и люблю́ его́ (не хочу́ вас обма́нывать)... но, послу́шайте, отвеча́йте мне. Е́сли б я, наприме́р, вас полюби́ла, то е́сть е́сли б я то́лько... Ох, друг мой! как я поду́маю, как поду́маю, что смея́лась над ва́шей любо́вью! О бо́же! да ка́к же я э́того не предви́дела, как я не предви́дела, как я была́ так глупа́, но... ну, ну, я реши́ла, я всё скажу́...

— Послу́шайте, На́стенька, зна́ете что? я уйду́ от вас, вот что! Про́сто я вас то́лько му́чаю. Вот тепе́рь вам **сты́дно** за то, что вы смея́лись надо мной, а я не хочу́, да, не хочу́, кро́ме ва́шего го́ря... я, коне́чно, винова́т, На́стенька, но проща́йте!

— Сто́йте, вы́слушайте меня́: вы мо́жете ждать?

— Чего́ ждать, как?

— Я его́ люблю́; но э́то пройдёт, э́то должно́ пройти́, э́то не мо́жет не пройти́; уж прохо́дит, я слы́шу... Не зна́ю, мо́жет быть, сего́дня же ко́нчится, потому́ что я его́ **ненави́жу**, потому́ что он надо мно́й смея́лся, тогда́ как вы пла́кали здесь вме́сте со мно́ю, потому́-то вы не отве́ргли бы меня́, как он, потому́ что вы люби́те, а он не люби́л меня́, потому́ что я вас наконе́ц люблю́ сама́... да, люблю́, как вы меня́ лю́бите; я же сама́ ещё ра́ныше вам э́то сказа́ла, вы са́ми слы́шали, — потому́ люблю́, что вы лу́чше его́, пото́му́, потому́, потому́, что он...

Волне́ние бедня́жки[2] бы́ло так сильно́, что она́ не договори́ла, положи́ла свою́ го́лову мне на плечо́, пото́м на грудь и опя́ть запла́кала. Я угова́ривал[3] её, но она́ не могла́ переста́ть; она́ всё жа́ла мне ру́ку и говори́ла: «Подожди́те, подожди́те; вот я сейча́с перестану! Я вам хочу́ сказа́ть… вы не ду́майте, чтоб э́ти слёзы — э́то так, от сла́бости, подожди́те, пока́ пройдёт…» Наконе́ц она́ переста́ла пла́кать, и мы сно́ва пошли́. Я бы́ло хоте́л говори́ть, но она́ до́лго ещё всё проси́ла меня́ подожда́ть. Мы замолча́ли… Наконе́ц она́ собрала́сь с ду́хом[4] и начала́ говори́ть.

Комментарий

незначи́тельный[1] - ма́ленький, нева́жный

бедня́жка[2] - челове́к, кото́рого жа́лко

угова́ривать[3] - о́чень си́льно проси́ть

собра́ться с ду́хом[4] - победи́ть в себе́ страх, неуве́ренность, реши́ться на что-то

Вопросы

О чем мечта́л наш геро́й, когда́ Насте́нька пла́кала?

32

— Во́т что, — начала́ она́ сла́бым и дрожа́щим го́лосом, — не ду́майте, что я так **легкомы́сленна**, не ду́майте, что я могу́ так легко́ и ско́ро позабы́ть и измени́ть… Я це́лый год его́ люби́ла и бо́гом кляну́сь, что никогда́, никогда́ да́же мы́слью не была́ ему́ неверна́. Он насмея́лся надо мно́ю — бог с ним! Но он **оскорби́л** моё се́рдце. Я — я не люблю́ его́, потому́ что я могу́ люби́ть то́лько то, что понима́ет меня́, что **благоро́дно**; потому́ что я сама́ такова́, и он **недосто́ин** меня́ — ну, бог с ним! Ну, ко́нчено! Мо́жет быть, я должна́ люби́ть друго́го, а не его́, не тако́го челове́ка, друго́го, кото́рый пожале́л бы меня́ и, и… Ну, оста́вим, оста́вим э́то, — переби́ла Насте́нька, с волне́нием, — я вам то́лько хоте́ла сказа́ть… я вам хоте́ла сказа́ть, что е́сли, несмотря́ на то, что я люблю́ его́ (нет, люби́ла его́), е́сли, несмотря́ на то, вы ещё ска́жете… е́сли вы чу́вствуете, что ва́ша любо́вь так велика́, что мо́жет

наконец **вы́теснить** из моего́ се́рдца ста́рую… е́сли вы не захоти́-
те меня́ оста́вить одну́ в мое́й **судьбе́,** без наде́жды, е́сли вы захо-
ти́те люби́ть меня́ всегда́, как тепе́рь меня́ лю́бите, то кляну́сь, что
любо́вь моя́ бу́дет наконе́ц досто́йна ва́шей любви́… Возьмёте ли
вы тепе́рь мою́ ру́ку?

— На́стенька, — закрича́л я, задыха́ясь от сча́стья, — На́-
стенька!.. О На́стенька!

— Ну, не на́до, не на́до! — заговори́ла она́ с трудо́м, — ну,
тепе́рь уже́ всё ска́зано; не пра́вда ли? так? Ну, и вы сча́стливы, и
я сча́стлива; ни сло́ва же об э́том бо́льше; подожди́те, пожале́йте
меня́… Говори́те о чём-нибу́дь друго́м, ра́ди бо́га!..

— Да, На́стенька, да! не бу́дем об э́том, тепе́рь я сча́стлив,
я… Ну, На́стенька, ну, заговори́м о друго́м, поскоре́е, поскоре́е
заговори́м; да! я гото́в.

Вопросы

В чем поклялась Настенька?

33

И мы не зна́ли, что говори́ть, мы смея́лись, мы пла́кали, мы
говори́ли ты́сячи слов без свя́зи и мы́сли; мы то ходи́ли по тротуа́-
ру, то вдруг возвраща́лись наза́д и переходи́ли че́рез у́лицу; по-
то́м остана́вливались и опя́ть переходи́ли на на́бережную; мы бы́ли
как де́ти…

— Я тепе́рь живу́ оди́н, На́стенька, — заговори́л я, — а за́в-
тра… Ну, коне́чно, я, зна́ете На́стенька, бе́ден, у меня́ всего́ ты́ся-
ча две́сти, но э́то ничего́…

— Коне́чно, а у ба́бушки пе́нсия; так она́ нам не помеша́ет.
Ну́жно взять ба́бушку.

— Коне́чно, ну́жно взять ба́бушку… То́лько вот Матре́на…

— Ах, да и у нас то́же Фёкла!

— Матре́на до́брая, то́лько не уме́ет мечта́ть, совсе́м не уме́ет,
но э́то ничего́!..

— Всё равно; они обе могут быть вместе; только вы завтра к нам переезжайте.

— Как это? к вам! Хорошо, я готов...

— Да, вы наймёте у нас. У нас, там, наверху, мезонин; он пустой; была старушка, она уехала, и бабушка, я знаю, хочет молодого человека пустить; я говорю: «Зачем же молодого человека?» А она говорит: «Да так, я уже стара, а только ты не подумай, Настенька, что я за него тебя хочу замуж выдать». Я и догадалась, что это для того...

— Ах, Настенька!.. И оба мы засмеялись.

— Ну не надо же, не надо. А где вы живёте? я и забыла.

— Там у — ского моста, в доме Баранникова.

— Это такой большой дом?

— Да, такой большой дом.

— Ах, знаю, хороший дом; только вы, знаете, бросьте его и переезжайте к нам поскорее...

— Завтра же, Настенька, завтра же; я там немножко должен за квартиру, да это ничего... Я получу скоро жалованье[1]...

— А знаете, я, может быть, буду уроки давать; сама научусь и буду давать уроки...

— Ну вот и прекрасно... а я скоро премию получу, Настенька...

— Так вот, вы завтра и будете мой жилец...

— Да, и мы пойдём в «Севильского цирюльника», потому что его теперь опять дадут скоро.

— Да, пойдём, — сказала, смеясь, Настенька, — нет, лучше мы будем слушать не «Цирюльника», а что-нибудь другое...

— Ну, хорошо, что-нибудь другое; конечно, это будет лучше, а то я не подумал...

Говоря это, мы ходили оба как будто в **тумане**, как будто сами не знали, что с нами делается. То останавливались и долго разговаривали на одном месте, то опять заходили бог знает куда, и опять смех, опять слёзы... То Настенька вдруг захочет домой, и я захочу проводить её до самого дома; мы идём и вдруг через четверть часа находим себя на набережной, у нашей скамейки. То она **вздохнёт**, и снова слезинка набежит на глаза; я оробею[2], похолодею[3]... Но она́ тут же жмёт мою́ ру́ку и **та́щит** меня́ сно́ва ходи́ть, говори́ть, говори́ть...

— Пора́ тепе́рь, пора́ мне домо́й; я ду́маю, о́чень по́здно, — сказа́ла На́стенька, — не на́до нам так ребя́читься[4]!

— Да, На́стенька, то́лько уж я тепе́рь не засну́; я домо́й не пойду́.

— Я то́же, ка́жется, не засну́; то́лько вы проводи́те меня́...

— Обяза́тельно!

— Но уж тепе́рь мы обяза́тельно дойдём до кварти́ры.

— Обяза́тельно, обяза́тельно...

— Че́стное сло́во?.. потому́ что ну́жно же когда́-нибу́дь возвраща́ться домо́й!

— Че́стное сло́во, — отвеча́л я смея́сь...

— Ну, пойдёмте!

— Пойдёмте.

— Посмотри́те на не́бо, На́стенька, посмотри́те! За́втра бу́дет прекра́сный день; како́е голубо́е не́бо, кака́я луна́! Смотри́те же, смотри́те!..

Но На́стенька не смотре́ла на луну́, она́ стоя́ла и молча́ла, че́рез мину́ту она́ ста́ла как-то ро́бко, бли́зко **прижима́ться** ко мне. Рука́ её задрожа́ла в мое́й руке́; я погляде́л на неё.

Комментарий

жалованье[1] - зарплата

оробеть[2] - стать робким

похолодеть[3] - почуствовать холод от страха, волнения

ребячиться[4] - вести себя как ребенок

Вопросы

1. Как вели себя Настенька и герой?
2. Что предлагала Настенька?

34

В эту минуту мимо нас прошёл молодой человек. Он вдруг остановился, внимательно посмотрел на нас и потом опять сделал несколько шагов. Сердце во мне задрожало...

— Настенька, — сказал я вполголоса, — кто это, Настенька?

— Это он! — отвечала она **шёпотом**...

Я чуть устоял на ногах.

— Настенька! Настенька! это ты! — послышался голос за нами, и в ту же минуту молодой человек сделал к нам несколько шагов...

Боже, какой крик! как она бросилась к нему навстречу!

Я стоял и смотрел на них как убитый. Но только она подала ему руку, только бросилась в его **объятия**, как вдруг снова подбежала ко мне, как ветер, и, прежде чем успел я прийти в себя, **обхватила** мою шею двумя руками и крепко, горячо поцеловала меня. Потом, не сказав мне ни слова, бросилась снова к нему, взяла его за руки и повела его за собою.

Я долго стоял и глядел им **вслед**.

Вопросы

1. Что сделала Настенька, когда жилец неожиданно позвал ее?
2. Почему Настенька опять подбежала к нашему герою?

35
УТРО

Мои ночи кончились утром. День был нехороший. Шёл дождь; в комнатке было темно. Голова у меня болела и кружилась.

— Письмо к тебе, батюшка[1], по городской почте почтальон принёс, — проговорила надо мною Матрёна.

— Письмо! от кого? — закричал я и встал со стула.

— А не знаю, батюшка, посмотри, может быть, там и написано от кого.

Я посмотрел. Это от неё!

«О, прости́те, прости́те меня́! — писа́ла мне На́стенька, — на коле́нях прошу́ вас, прости́те меня́... Я обману́ла и вас и себя́. Э́то был сон... Не обвиня́йте меня́, потому́ что я ни в чём не измени́лась перед ва́ми; я сказа́ла, что бу́ду люби́ть вас, я и тепе́рь вас люблю́, бо́льше чем люблю́. О, бо́же! е́сли б я могла́ люби́ть вас двои́х вме́сте! О, е́сли б вы бы́ли он!»

«О, е́сли б он бы́ли вы!» — пролете́ло в мое́й голове́. Я вспо́мнил твои́ же слова́, На́стенька!

«Бог ви́дит, что́ бы я тепе́рь для вас сде́лала! Я зна́ю, что вам тяжело́ и гру́стно. Но вы зна́йте — е́сли лю́бишь, до́лго ли по́мнишь оби́ду. А вы меня́ лю́бите!

Благодарю́! да! благодарю́ вас за э́ту любо́вь. Потому́ что в па́мяти мое́й она́ оста́лась, как со́н, кото́рый до́лго по́мнишь, потому́ что я ве́чно бу́ду по́мнить тот миг, когда́ вы так бра́тски откры́ли мне своё се́рдце и при́няли моё, уби́тое, чтоб **вы́лечить** его́. Е́сли вы прости́те меня́, то па́мять о вас бу́дет во мне ве́чно. Благода́рное чу́вство к вам навсегда́ оста́нется в душе́ мое́й. Я бу́ду ей верна́, не изменю́ ей, не изменю́ своему́ се́рдцу: оно́ сли́шком постоя́нно. Оно́ ещё вчера́ так ско́ро верну́лось к тому́, кото́рому принадлежа́ло наве́ки.

Мы встре́тимся, вы придёте к нам, вы нас не оста́вите, вы бу́дете ве́чно дру́гом, бра́том мои́м... И когда́ вы уви́дите меня́, вы подади́те мне ру́ку... да? вы подади́те мне её, вы прости́ли меня́, не пра́вда ли? Вы меня́ лю́бите по-пре́жнему?

О, люби́те меня́, не оставля́йте меня́, потому́ что я вас так люблю́ в э́ту мину́ту, потому́ что я досто́йна любви́ ва́шей, потому́ что я заслужу́ её... друг мой ми́лый! На бу́дущей неде́ле я выхожу́ за него́ за́муж. Он верну́лся **влюблённый**, он никогда́ не забыва́л обо мне́... Вы не рассе́рдитесь[2] за то, что я о нём написа́ла. Но я хочу́ прийти́ к вам вме́сте с ним; вы его́ полю́бите, не пра́вда ли? Прости́те нас, по́мните и люби́те ва́шу

На́стеньку».

Комментарий

батюшка[1] - то же, что отец, ласково ко взрослому мужчине
рассердиться[2] - стать сердитым, недовольным

Вопросы

О чем писала Настенька?

36

Я до́лго перечи́тывал э́то письмо́; слёзы текли́ из глаз мои́х.
Наконе́ц оно́ **вы́пало** у меня́ из рук, и я закры́л лицо́.

— Послу́шай, послу́шай, — начала́ Матрёна.

— Что, стару́ха?

— А ко́мнату-то я всю убрала́, тепе́рь хоть жени́сь, госте́й
зови́.

Я посмотре́л на Матрёну... Э́то была́ ещё си́льная молода́я
стару́ха, но, не зна́ю почему́, вдруг она́ показа́лась мне совсе́м ста́-
рой. Не зна́ю почему́, мне вдруг показа́лось, что ко́мната моя́ по-
старе́ла так же, как и стару́ха. Не зна́ю почему́, когда́ я взгляну́л в
окно́, мне показа́лось, что дом, кото́рый стоя́л напро́тив, то́же по-
старе́л, и я уви́дел себя́ таки́м, как я тепе́рь, ро́вно че́рез пятна́дцать
лет, ста́рым, в той же ко́мнате, так же одино́ким, с той же Матрё-
ной, кото́рая ниско́лько не поумне́ла за все э́ти го́ды.

Но чтоб я по́мнил оби́ду мою́, На́стенька! О, никогда́, никог-
да́! Да бу́дет я́сно твоё не́бо, да бу́дет светла́ и споко́йна ми́лая
улы́бка твоя́ за мину́ту сча́стия, кото́рое ты дала́ друго́му одино́-
кому, благода́рному се́рдцу!

Бо́же мой! Це́лая мину́та сча́стья! Да ра́зве э́того ма́ло хоть
бы на всю жизнь челове́ческую?..

Вопросы

Что показалось нашему герою, когда он несколько раз прочитал
письмо?

Фёдор Михайлович Достоевский

Русский писатель (1821—1881). Тема «маленького человека» наиболее сказалась в творчестве Достоевского. Живя в Петербурге, писатель познал униженное состояние постоянного безденежья, которое продолжалось до конца его жизни. Он наблюдал судьбы бедных людей различных сословий, контрасты богатства и бедности Петербурга.

Первые произведения — «Бедные люди» (1845), «Белые ночи» (1848). В них углублённый психологизм, анализ раздвоения человеческого сознания, исключительность характеров и ситуаций.

В 40-е гг. у Достоевского возник интерес к идеям социализма и социальной переделки общества. Он стал принимать активное участие в собраниях, члены которых стремились создать тайную революционную организацию. За это он был арестован в 1849 году и приговорён к смертной казни, которую Николай I заменил 4-летней каторгой.

В 60—70-е гг. Достоевский создал свои гениальные романы: «Униженные и оскорблённые» (1861), «Преступление и наказание» (1866), «Идиот» (1868), «Бесы» (1872), «Подросток» (1875), «Братья Карамазовы» (1880).

Основные проблемы творчества Достоевского, которые он разрабатывает почти во всех своих произведениях — психологические, нравственные, политические, философские.

Основа реалистического творчества Достоевского — мир человеческих страданий, в изображении которых он не знает себе равных.

Задания

Выберите правильный ответ. В случае необходимости смотрите ключ.

1. Почему нашего героя стала мучить тоска?
   а) плохо себя чувствовал
   б) остался один в городе
   в) не пришёл друг

2. Что могло испортить настроение герою?
   а) дождливый день
   б) плохо приготовленный обед
   в) стул стоит не так, как вчера стоял

3. Как почувствовал себя герой за городом?
   а) стало грустно
   б) почувствовал тоску
   в) стало весело

4. В чём особенность петербургской природы весной?
   а) необъяснимо-волнительная
   б) необыкновенно тёплая
   в) прилетают птицы

5. Какое приключение произошло с героем?
   а) на набережной канала увидел девушку
   б) познакомился с известным музыкантом
   в) получил приглашение в театр

6. Почему наш герой волновался, был робким с девушкой?
   а) не мог пригласить на ужин
   б) не хотел больше встречаться
   в) никогда не говорил с женщиной

7. В кого влюблялся наш герой?

   а) во всех незнакомых девушек

   б) в своих хозяек

   в) в идеал, в ту, которую увидет во сне

8. Почему герой испугался, когда они подошли к дому девушки?

   а) никогда больше не увидятся

   б) заметил молодого человека

   в) девушка быстро убежала

9. При каком условии девушка назначила свидание герою?

   а) не опаздывать

   б) быть весёлым

   в) не влюбляйся в неё

10. Почему наш герой испугался, когда девушка попросила героя рассказать его историю?

   а) это его тайна

   б) нет истории

   в) не умеет рассказывать

11. Что ответил герой на вопрос девушки, кто он такой?

   а) хозяин дома

   б) оптимист

   в) тип

12. Кто такой мечтатель, по мнению героя?

   а) оригинал

   б) робкий человек

   в) существо среднего рода

13. Что сказала Настенька герою о его рассказе?

   а) так в жизни не бывает

   б) не интересно слушать

   в) говорит, точно книгу читает

14. Странное чувство удовольствия играет на лице героя, когда он возвращается домой?

    а) должен ехать за город на дачу

    б) доволен, что покончил с делами до завтра

    в) вечером будет встречаться с друзьями

15. Какой считает наш герой свою прежнюю жизнь до встречи с Настенькой?

    а) очень интересной

    б) счистливой

    в) преступлением и грехом

16. Почему Настенька решила рассказать герою о своей жизни?

    а) лучше познакомиться с ним

    б) получить умный братский совет

    в) услышать, что он думает о ней

17. Почему Настенька и её бабушке нельзя было жить без жильцов?

    а) маленькая заработная плата

    б) Настенька изучала французский язык

    в) пенсия бабушки весь их доход

18. Что спрашивала бабушка у Настеньки о новом жильце?

    а) молодой или старый, приятный ли на вид

    б) учится или работает в городе

    в) здешний или прехал издалека

19. Что предложил жилец бабушке через две недели?

    а) пойти погулять по городу

    б) пообедать вместе в ресторане

    в) почитать французские книги

20. Как отреагировала Настенька на предложение жильца пойти с ним в театр?

    а) поблагодарила

    б) согласилась с радостью

    в) не хочет обманывать бабушку

21. Что сообщил жилец бабушке после обеда?

    а) приехал старший брат

    б) получил интересную работу

    в) взял билеты на «Сивильский цирюльник»

22. Какова была реакция Настеньки, когда жилец сообщил, что уезжает в Москву?

    а) весело засмеялась

    б) побледнела и упала на стул как мёртвая

    в) не обратила внимания

23. О чём договорились Насенька и жилец?

    а) вместе поехать в Москву

    б) рассказать всё бабушке

    в) встретиться через год

24. За что наш герой благодарил Настеньку?

    а) пригласила в театр

    б) разрешила его сомнения

    в) слушала внимательно

25. О чём попросила Настенька героя?

    а) встретиться утром

    б) передать письмо для жильца

    в) рассказать о его жизни

26. Почему Настенька была так нежна и добра к нашему герою?

    а) радовалась о скором свидании с жильцом

    б) чувствовала, что жилец не придёт

    в) хотела передать своё счастье герою

27. Что сообщила Настенька нашему герою?

   а) вчера жилец вернулся

   б) завтра она не придёт

   в) сегодня она сама не своя

28. Почему настроение Настеньки изменилось, когда пробило одиннадцать часов?

   а) наш герой молчал

   б) жилец не пришёл

   в) жилец пришёл с девушкой

29. Что решил сообщить Настеньке наш герой?

   а) всё несбыточно, но он любит её

   б) встретился вчера с жильцом

   в) передал письмо её знакомым

30. Как наш герой объяснил своё решение сказать Настеньке о своей любви к ней?

   а) заметил её слёзы

   б) почувствовал печаль Настеньки

   в) не может помочь Настеньке своей любовью

31. О чём просила Настенька героя?

   а) не относить письмо жильцу утром

   б) не говорить больше о жильце

   в) подождать, пока любовь к жильцу пройдёт

32. О чём сказала Настенька герою, когда они гуляли?

   а) много думала о жильце

   б) ничего не сообщать бабушке

   в) её любовь будет достойна любви героя

33. Что сообщил Настеньке наш герой?

   а) нужно переехать в новый дом

   б) скоро получит награждение

   в) не хочет видеть жильца

34. Как почувствовал себя наш герой, когда Настенька и жилец встретились?

а) чуть устоял на ногах

б) очень обрадовался

в) весело засмеялся

35. Что произошло утром?

а) Настенька пришла с жильцом

б) голова больше не болела

в) почтальон принёс письмо

36. За что наш герой благодарил Настеньку?

а) четыре прекрасных вечера

б) предложение жить вместе

в) целая минута блаженства на всю его жизнь

Ключ

1а, 2в, 3в, 4а, 5в, 6б, 7в, 8а, 9в, 10б, 11в, 12в, 13в, 14б, 15в, 16б, 17в, 18а, 19в, 20в, 21в, 22б, 23в, 24б, 25б, 26а, 27в, 28б, 29а, 30в, 31в, 32в, 33б, 34а, 35в, 36в

Словарь

аристокра́тка
ба́бушкин
ба́тюшка
бедня́жка
беззащи́тный
безнра́вственный см.
  нравственный
безоши́бочно ср.
  ошибка
беспоко́йно
бессо́нный ср. сон
бесчелове́чно ср.
  человек
би́ться
благода́рный ср.
  благодарить
благоро́дно
бле́дный
блиста́ть
бо́же ср. бог
броса́ться/бро́ситься
  ср. бросить
бро́сьте=перестаньте,
    хватит
бу́дто
була́вка
вдвоём
ве́рно
ве́чно ср. век
взгляну́ть ср. взгляд
вздохну́ть
вид ср. видеть
ви́дно ср. видеть
винова́т
влюби́ться/
влюбля́ться ср.
  любить

вме́сто
возмо́жно
вполго́лоса ср. голос,
  пол
впро́чем
всё-таки
вскри́кнуть ср.
  крикнуть
вслед
встре́чный ср.
  встречать
вчера́шний ср. вчера
вы́дать
вызыва́ть (о чувствах)
вы́крашенный см.
  краска
вы́пасть
вы́сказать
вы́слушать
вы́терпеть
вы́теснить
гляде́ть ср. взгляд
говорли́вый ср,
  говорить
госуда́рь ср.
  государство
грех
груз
грусть ср. грустный
грязь ср. грязный
губа
делика́тный
диссона́нс
дневно́й ср. день, дня
добива́ться
дове́риться ср. верить
дога́дываться/

догада́ться
догна́ть
договори́ть
дожда́ться
дождли́вый ср. дождь
дожи́ть
долета́ть
дома́шний ср. дом
до сих пор
досто́йный
дохо́д
дрожа́ть
дружо́чек ср. друг
жать/пожа́ть/
  пожима́ть
жале́ть/пожале́ть ср.
  жаль
жа́лко
жа́лованье
жёлтый
же́ртвовать
жиле́ц
заблесте́ть
забо́та ср. заботиться
завести́
загля́дывать ср. взгляд
заговори́ть ср.
  говорить
задрожа́ть
заду́маться ср. думать
задыха́ться
закрича́ть ср. кричать
замолча́ть ср. молчать
запе́ть ср. петь
запи́сочка ср. записка
за́просто
запры́гать ср. прыгать

зара́нее ср. рано
заслужи́ть ср. служить
засма́тривалась ср.
  смотреть
засыпа́ть / заснуть
заста́вить
зде́шний ср. здесь
зло ср. злой
знако́мство ср. знаком
игри́вый ср. игра
идеа́л
извине́ние ср. извините
и́здали ср. далеко
измени́ть кому?
изму́ченный см. мучить
и́менно
исключе́ние
испу́г
испуга́ть(ся)
кана́л
ка́пля
капри́зный
карма́н
кипе́ть
кля́сться
кни́жка ср. книга
коке́тничать
ко́мнатка
кра́ска
красота́ ср. красивый
крик ср. крикнуть
круго́м ср. круглый
кружи́ться
ласка́ться
ла́сковый
легкомы́сленный
ли́чико ср. лицо
лишь
ло́жа

любе́зный
люби́мец ср. любить
любопы́тство
мгнове́нный
мезони́н
мёртвый ср. умереть
миг
ми́гом
ми́лостивый ср. ми́лый
мимохо́дом ср. мимо,
  ходить
моти́в
му́чить
мы́сленно ср. мысль
набежа́ть
на́бережная ср. берег
наболе́ть ср. болеть
наве́ки ср. век
навести́
наве́рное зд.: = точно
навя́зываться
наговори́ть ср.
  говорить
назло́ ср. злой
назна́чить ср. знак
наня́ть
напра́сно
насмеши́ть ср.
  смеяться
настоя́щий
нашали́ть
найти́ на кого? что?
нево́льно
недосто́ин
не́жность
незаме́тно ср. заметить
незнако́мка ср.
  знакомый
незначи́тельный ср.

значение, значить
немно́жко ср. много
ненави́деть
нереши́тельный ср.
  решить
несбы́точно
нетерпе́ние
не что ино́е как
ни-ни
ниско́лько
нра́вственный
о́ба, о́бе
обвиня́ть
оби́дно ср. обидеться
оби́да
обма́нывать / обману́ть
обня́ть
обо́и
обхвати́ть
объя́тия см. обнять
огляну́ться ср. взгляд
одино́кий ср. один
одино́чество
оди́н, одна́ = одинокий
ожида́ть ср. ждать
окле́ить
опусти́ть
оригина́л
оробе́ть см. робкий
оскорби́ть
осуди́ть
осы́паться
отвы́кнуть
отка́з ср. отказаться
открове́нный
отлича́ться
отме́тить ср. отметка
отнести́
отстегну́ть

па́лка
перебива́ть/переби́ть
(речь)
перепо́лниться ср.
полный
переси́ливать ср. сила
пересказа́ть
перечи́тывать
печа́льный = грустный
пла́кать
побледне́ть
побоя́ться ср. бояться
поведе́ние
по-ви́димому
погляде́ть ср. взгляд
поговори́ть
подава́ть/пода́ть
подбежа́ть
подозва́ть ср. звать
подружи́ться ср. друг
пожа́луй = наверное
показа́ться ср. показать
поклони́ться
покрасне́ть ср. красный
поле́зть (полезу)
по́лно = не надо
больше, ср. полный
получи́ться
помолча́ть
попа́сть
по-пи́саному
попроща́ться
посади́ть
послу́шный
послы́шаться
посмея́ться
постаре́ть ср. старый
посто́йте
поступи́ть = сделать

потемне́ть ср. темный
потихо́ньку =
понемногу
поумне́ть ср. умный
похолоде́ть ср.
холодный
почтальо́н
пошата́ываться
преврати́ться = стать
предви́деть ср. видеть
предупрежда́ть
предчу́вствовать
пре́жде
преиму́щество
пре́мия
преступле́ние
преувели́чивать ср.
велик
приба́вить
привиде́ние
приду́мывать
прие́зд ср. приехать
прие́зжий
прижима́ться ср. жать,
пожимать
приключе́ние
принц
пристава́ть
пристёгивать/
пристегну́ть
про = о
прове́рить
прогна́ть
проговори́ть
прогуля́ть ср. прогулка
прожда́ть
прожива́ть/прожи́ть
промечта́ть см. мечтать
промолча́ть см.

молчать
просве́т
прохо́жий ср.
проходить
проща́й, проща́йте
пуска́ть/пусти́ть
пусты́ня ср. пустой
рабо́тница
равно́ - всё равно́
ра́ди кого?
разби́ть
разлете́ться
разлюби́ть
размечта́ться
разуме́ется = конечно
разучи́ться
рассерди́ться
расспра́шивать
расста́ться =
проститься
ребя́читься ср. ребёнок
робе́ть
ро́бкий
ро́тик ср. рот
ру́чка ср. рука
сажа́ть
свети́ть ср. светлый,
свет
сгово́рчивый ср.
говорить
сего́дняшний ср.
сегодня
сезо́н
серде́чный ср. сердце
серди́тый
серди́ться
сжать ср. жать
скаме́йка
скрыва́ть ср.

закрывать
слава богу
слегка
слеза
слезинка
слепой
словом
слышаться
смех ср. смешной,
смеяться
смутиться
сниться ср. сон
собраться с духом
сбиться (собьюсь)
совершенно
советник
солидность
сочувствие
спадать
спальня - ср. спать
средство
старина ср. старый
старуха
старушка
стиль
странный
страстно

страсть
стыд ср. стыдно
судить
суждено см. судить
сумасшедший
существо ср.
существовать
схитрить
сходить
съездить
таков
тащить
течь
темнота ср. тёмный
теперешний ср. теперь
тип
торговаться
тоска
тосковать
то-то
тотчас см. сразу
тротуар
труд — с трудом
уважителен
угадать
уговаривать ср.
говорить

уговор
уголок ср. угол
удвоить ср. два, вдвоем
ум ср. умный
унижаться ср. низкий,
ниже
усидеть
устоять
устроить
ухаживать
участие
фальшивый
фантастический
холодеть ср. холодный,
похолодеть
хорошенькая
хоть = только
хохотать = смеяться
целиком ср. целый
цирюльник
чуть
шаг
шалость
шёпотом
эгоизм
экипаж

RUSSIAN COURSES
IN SAINT-PETERSBURG

ZLATOUST

**Individual / group course
from 240 EUR a week
(15 hours per week)**

**Flexible
discounts**

Your unique chance to take your Russian
lessons at the very first hand —
LEARN FROM OUR AUTHORS!

✓ Qualified experienced teachers
✓ Small groups or individual tuition
✓ 6 levels — from beginners to proficiency
✓ Wide range of educational programs and types of courses
✓ Exam preparation courses (basic — proficiency)
✓ Teachers training in Russian as a foreign language
✓ All our books available in our library
✓ Varied cultural program
✓ Hotel or host family accommodation
✓ Visa support (invitation and registration)
✓ Transfer

. . . .

Zlatoust Ltd.
Kamennoostrovsky, 24, St. Petersburg, 197101, Russia
tel. +7 812/703-11-76, fax +7 812/703-11-79
e-mail: school@zlat.spb.ru
website: www.zlat-edu.ru